唐·颜真卿颜勤礼碑

中国书法名碑名帖原色放大本

胡紫桂 主编

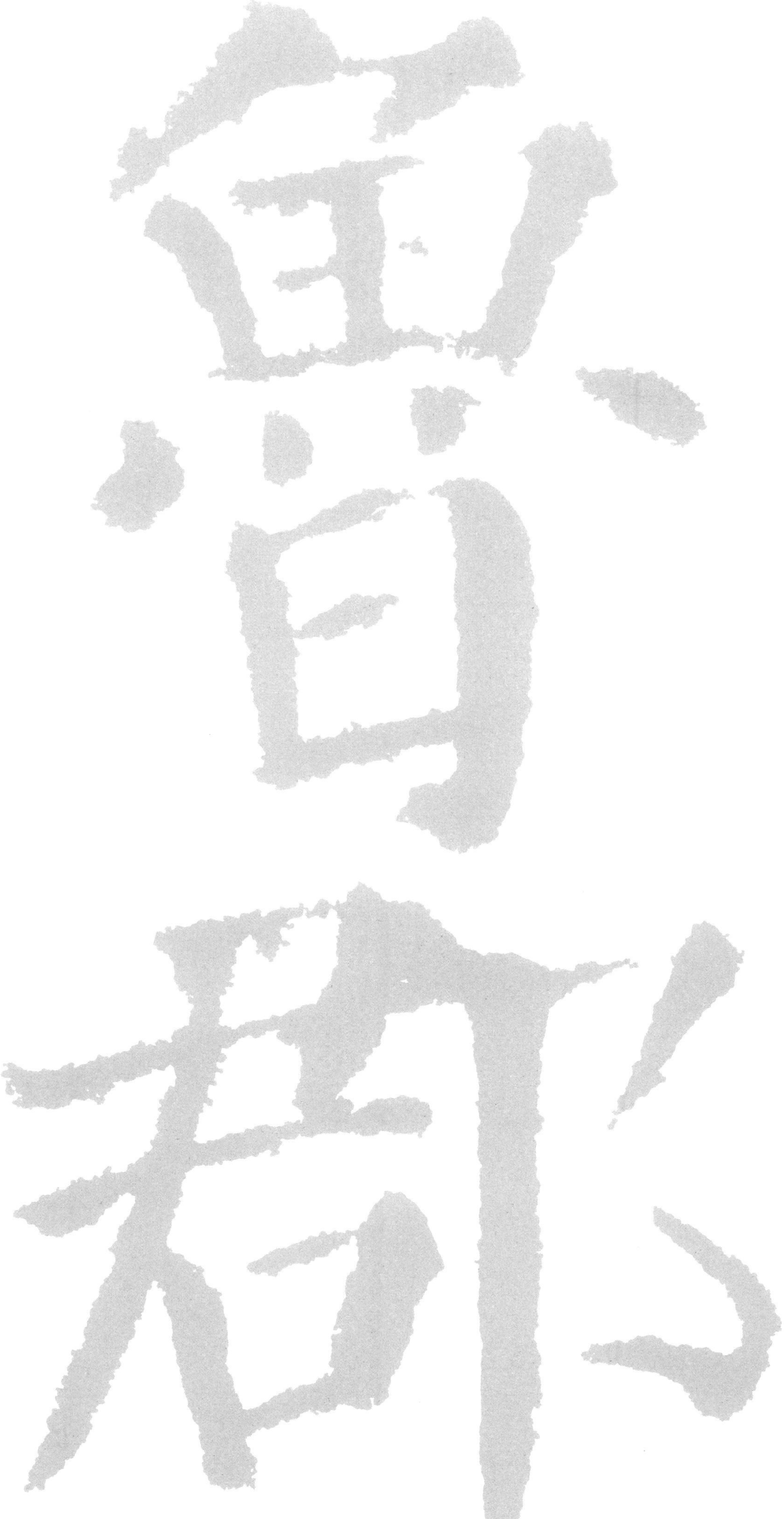

CTS 湖南美术出版社

图书在版编目（CIP）数据

唐·颜真卿颜勤礼碑 / 胡紫桂主编. -- 长沙：湖南美术出版社，2014.12

（中国书法名碑名帖原色放大本）

ISBN 978-7-5356-7128-8

Ⅰ. ①唐… Ⅱ. ①胡… Ⅲ. ①楷书-碑帖-中国-唐代 Ⅳ. ①J292.24

中国版本图书馆 CIP 数据核字（2014）第 311695 号

唐·颜真卿颜勤礼碑

（中国书法名碑名帖原色放大本）

出 版 人：黄 啸

主　　编：胡紫桂

副 主 编：成 琢 陈 麟

编　　委：冯亚君 邹方斌 倪丽华 齐 飞

责任编辑：成 琢 邹方斌

责任校对：彭 慧

装帧设计：造书房

版式设计：田 飞 彭 莹

出版发行：湖南美术出版社

（长沙市东二环一段 622 号）

经　　销：全国新华书店

印　　刷：四川省平轩印务有限公司

开　　本：889×1194 1/8

印　　张：14.5

版　　次：2014 年 12 月第 1 版

印　　次：2019 年 4 月第 6 次印刷

书　　号：ISBN 978-7-5356-7128-8

定　　价：85.00 元

邮购联系：028-85939832 邮编：610041

网　　址：http://www.scwj.net

电子邮箱：contact@scwj.net

如有倒装、破损、少页等印装质量问题，请与印刷厂联系斢换。

联系电话：028-85939809

颜真卿（708—784），字清臣，京兆万年（今陕西西安）人，唐代著名的书法家。进士出身，曾任殿中侍御史、平原（今山东陵县）太守、吏部尚书、太子太师等职，封鲁郡开国公，故又有『颜平原』、『颜鲁公』之称。唐建中四年（783），遭奸相陷害，被派往叛将李希烈部劝谕，未果，遭李缢杀。颜真卿一生秉性正直，以忠贞刚烈名垂青史。他的书法字如其人，刚正不阿，用笔稳健，点画丰腴，结体宽博，字形外拓，改变了初唐以来的『瘦硬』之风，开创了饱满充盈、恢弘雄壮的新风尚，成为后世书法取法的楷模，谓之『颜体』。颜体书法颇具盛唐气象，北宋的苏轼曾评赞道：『诗至于杜子美，文至于韩退之，画至于吴道子，书至于颜鲁公，而古今之变，天下之能事尽矣。』

《颜勤礼碑》全称《唐故秘书省著作郎夔州都督府长史上护军颜君神道碑》。颜勤礼，颜真卿的曾祖父，北齐颜之推之孙，他『工于篆籀，尤精训诂』，官至秘书省著作郎，崇贤、弘文馆学士。

此碑乃颜真卿71岁时所书，堪称其楷书成熟时期之佳作。其书用笔圆熟，横细竖粗，刚柔并济，藏头护尾，筋骨内含，结字端庄，字势外拓，中宫开阔，内含空灵，体态丰腴，气象雍容。原碑镌立于唐大历十四年（779），碑石四面环刻，遗憾的是后来左侧铭文被磨去，现存铭文只有两面及一侧。碑阳19行，碑阴20行，每行38字；碑侧5行，每行37字。此碑在北宋尚为人知，欧阳修《集古录》对此碑乃有记载，后来便不知去向，直至1922年出土才得以重见于世，现存西安碑林博物馆。

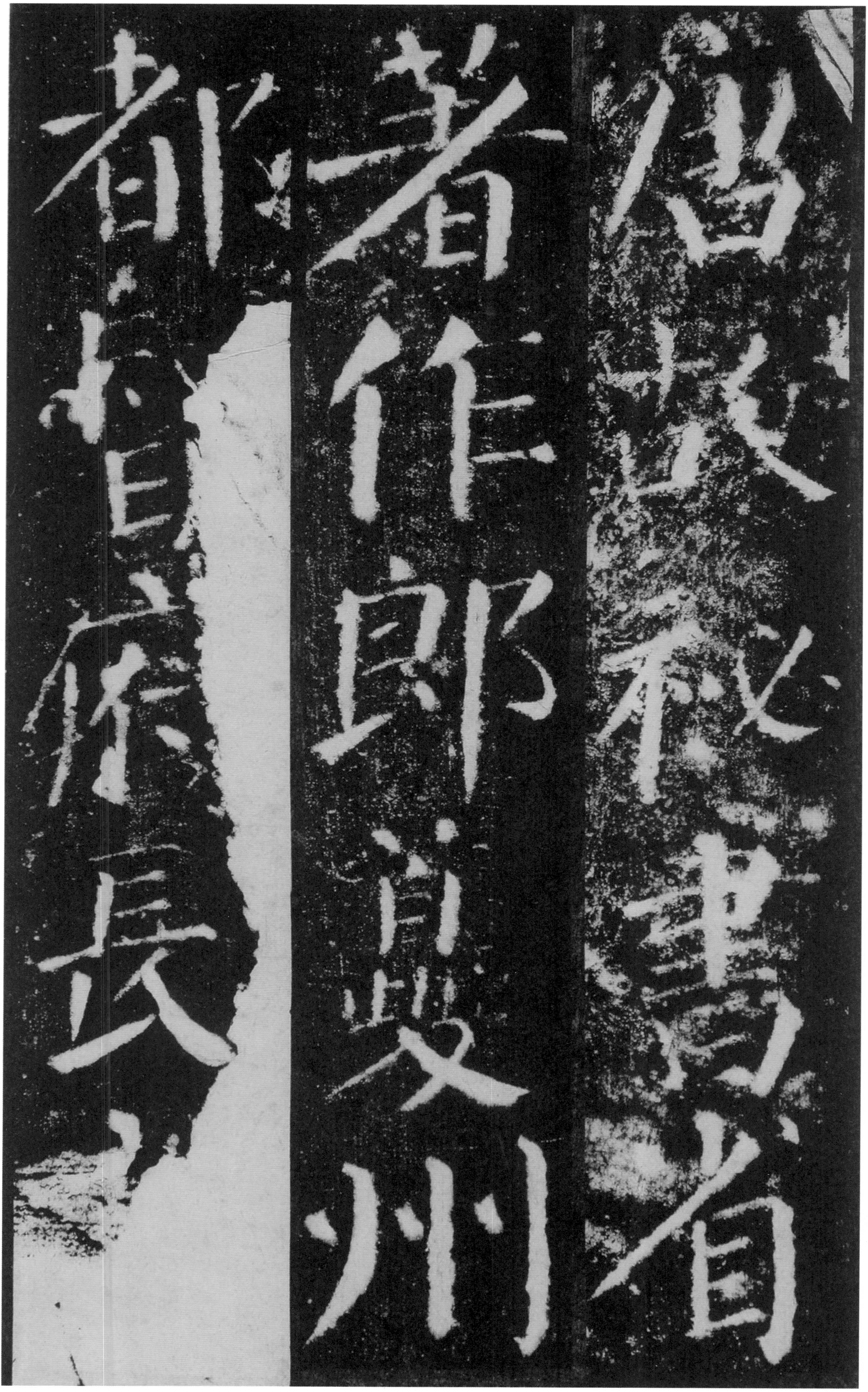

唐故秘书省著作郎、夔州都督府长史、

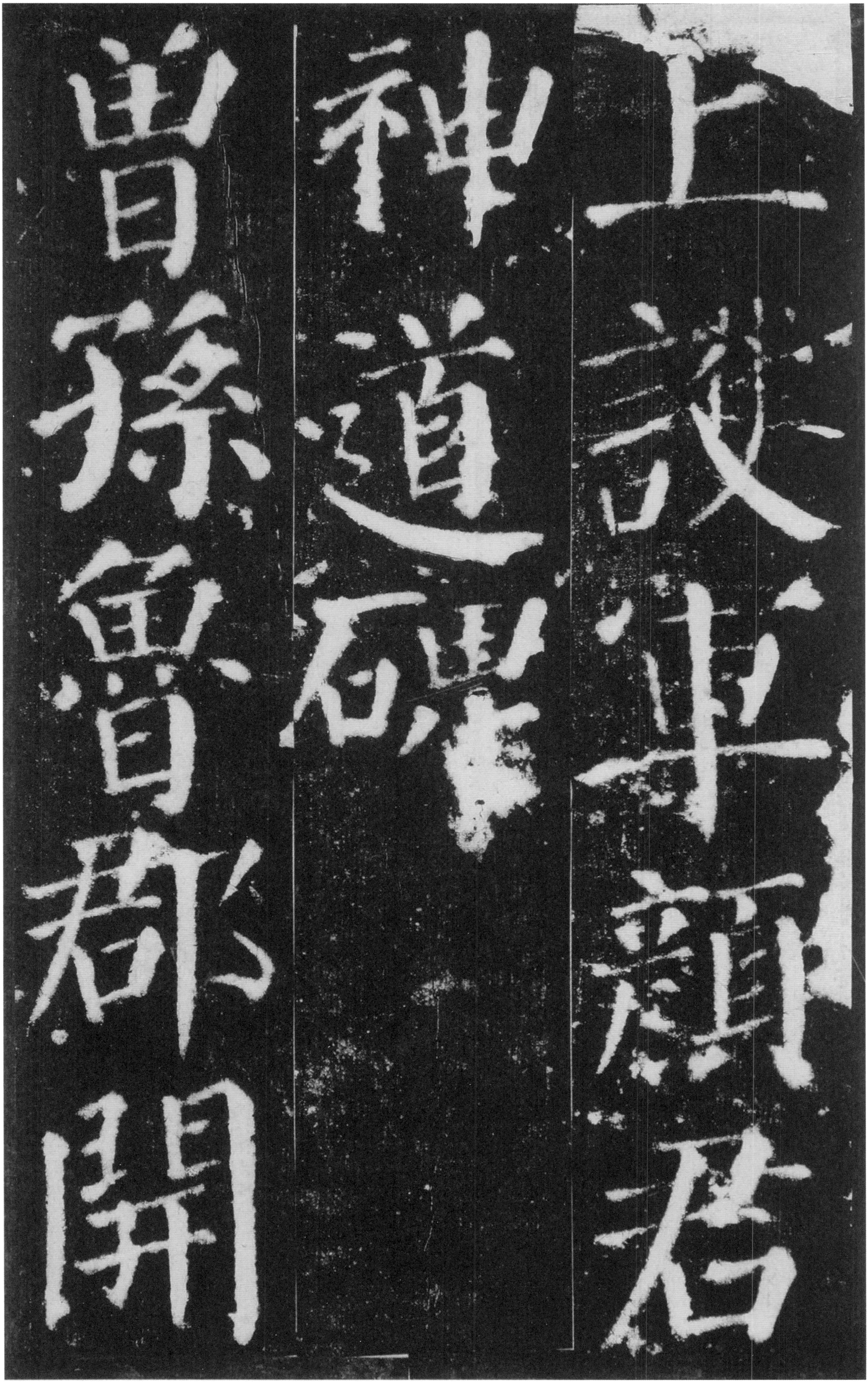

上护军颜君神道碑。曾孙鲁郡开

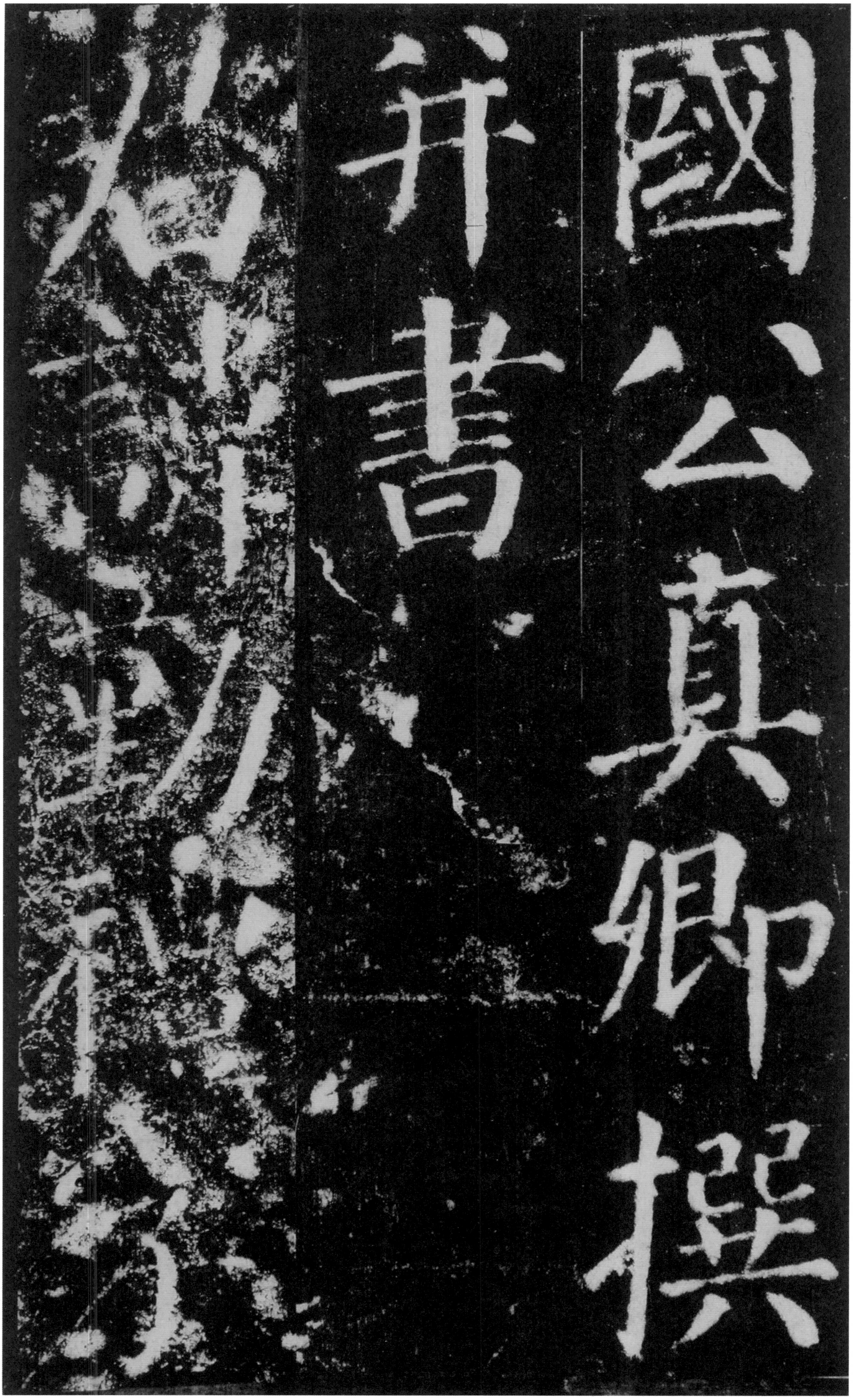

国公真卿撰并书。君讳勤礼，字

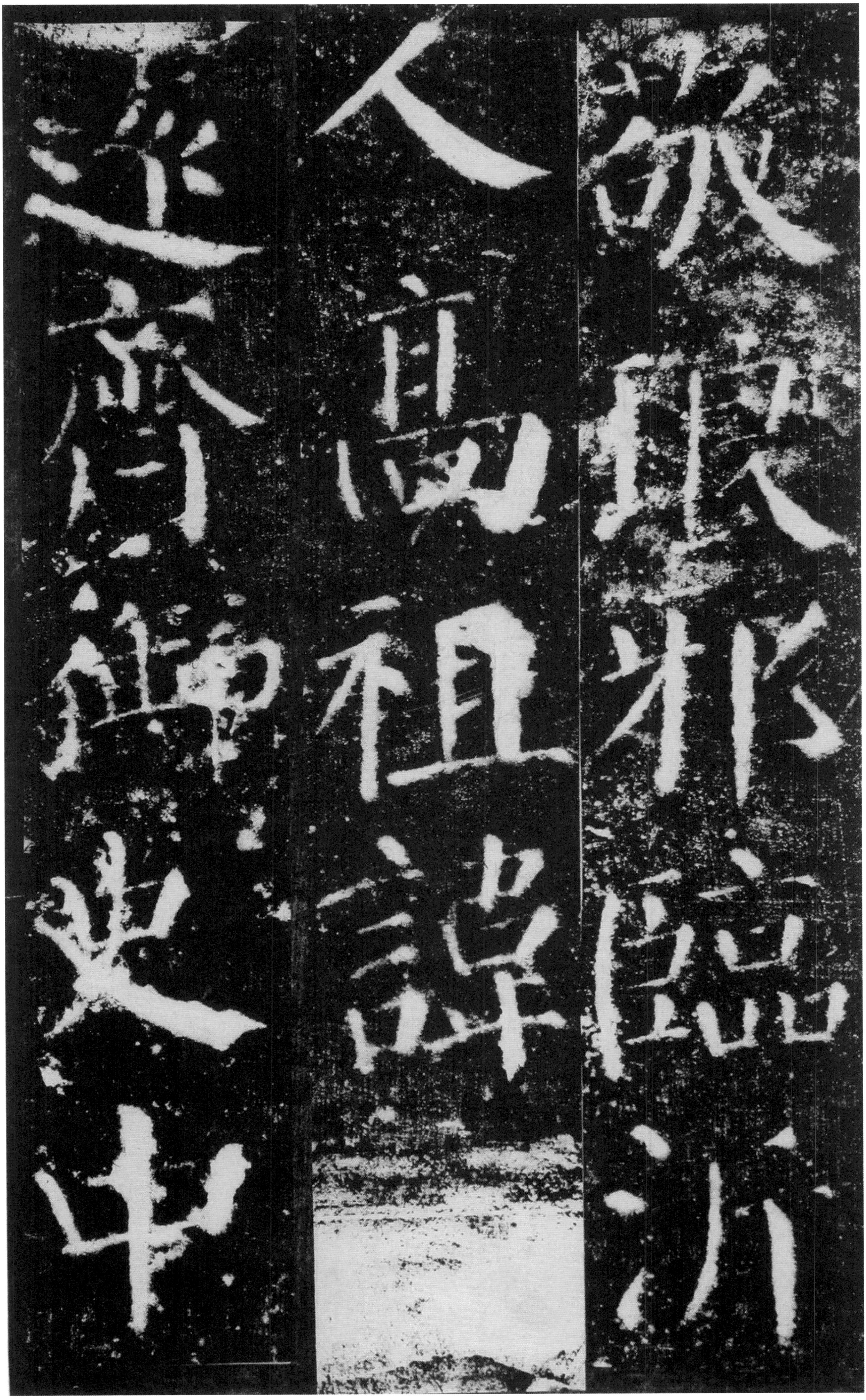

敬，琅邪临沂人。高祖讳见远，齐御史中

丞，梁武帝受禅，不食数日，一恸而绝。事

见《梁》、《齐》、《周书》。曾祖讳协，梁湘东王记室

参军，《文苑》有传。祖讳之推，北齐给事黄

门侍郎，隋东宫学士，《齐书》有传。始自南

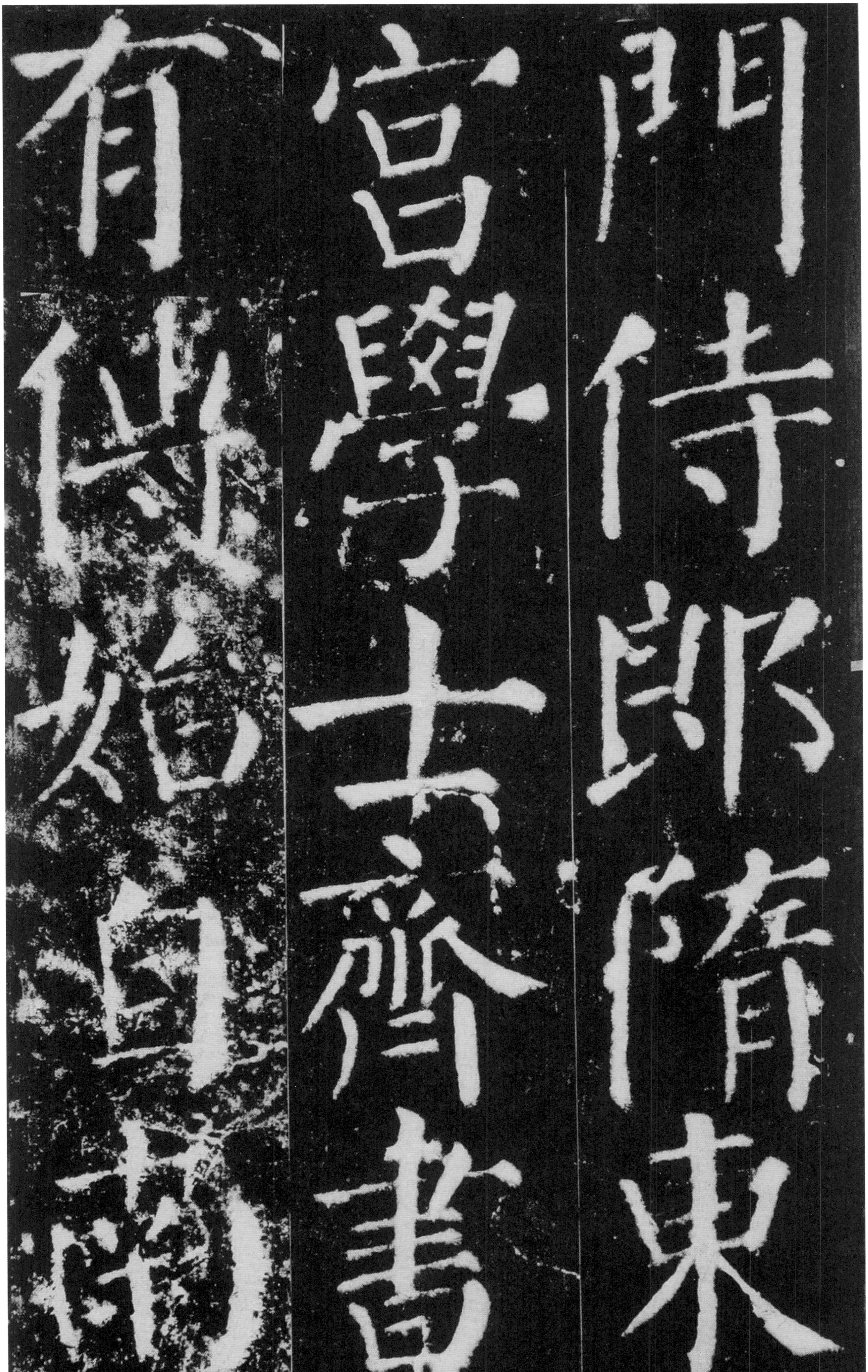

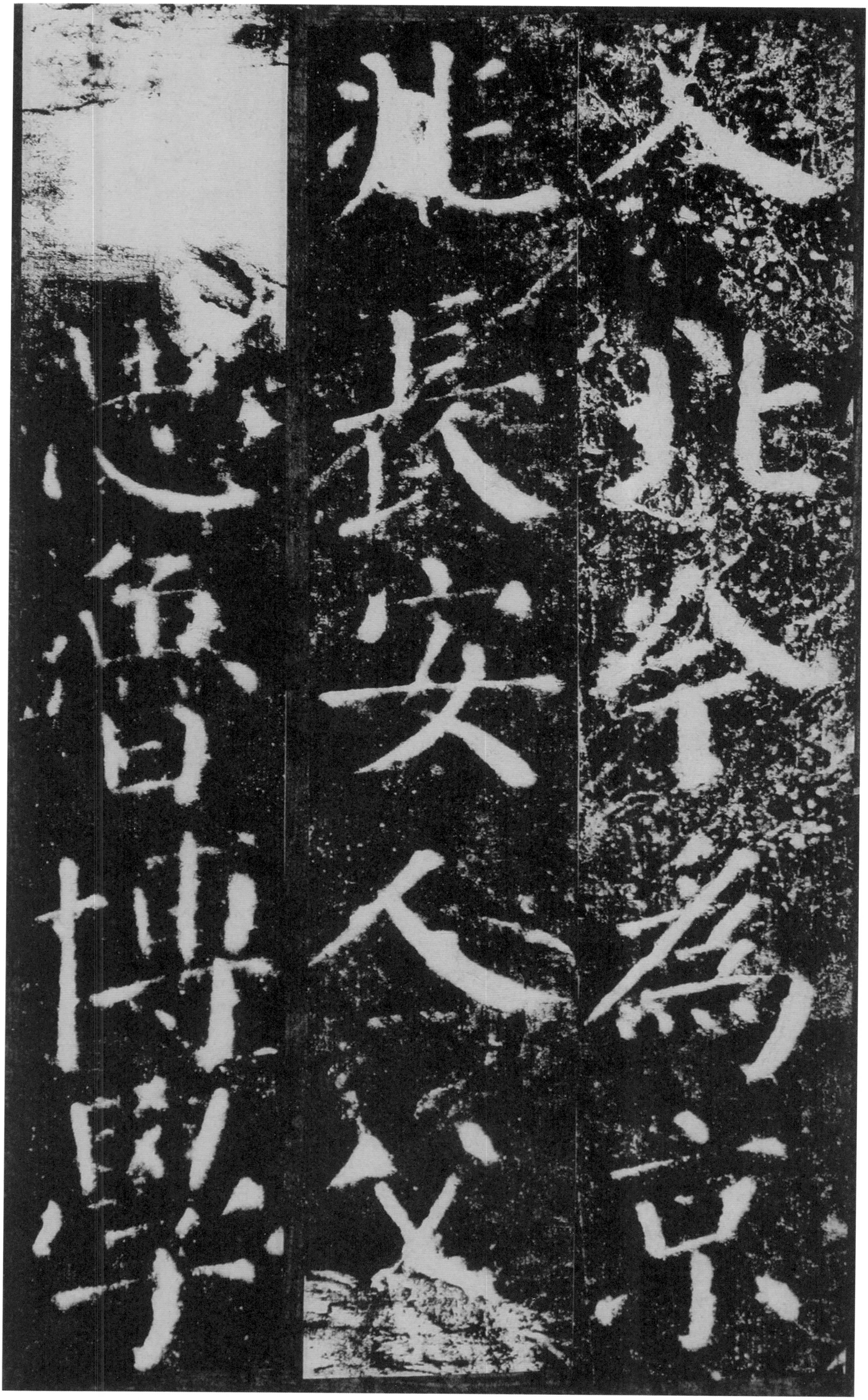

入北，今为京兆长安人。父讳思鲁，博学

善属文，尤工诂训。仕隋司经局校书、东

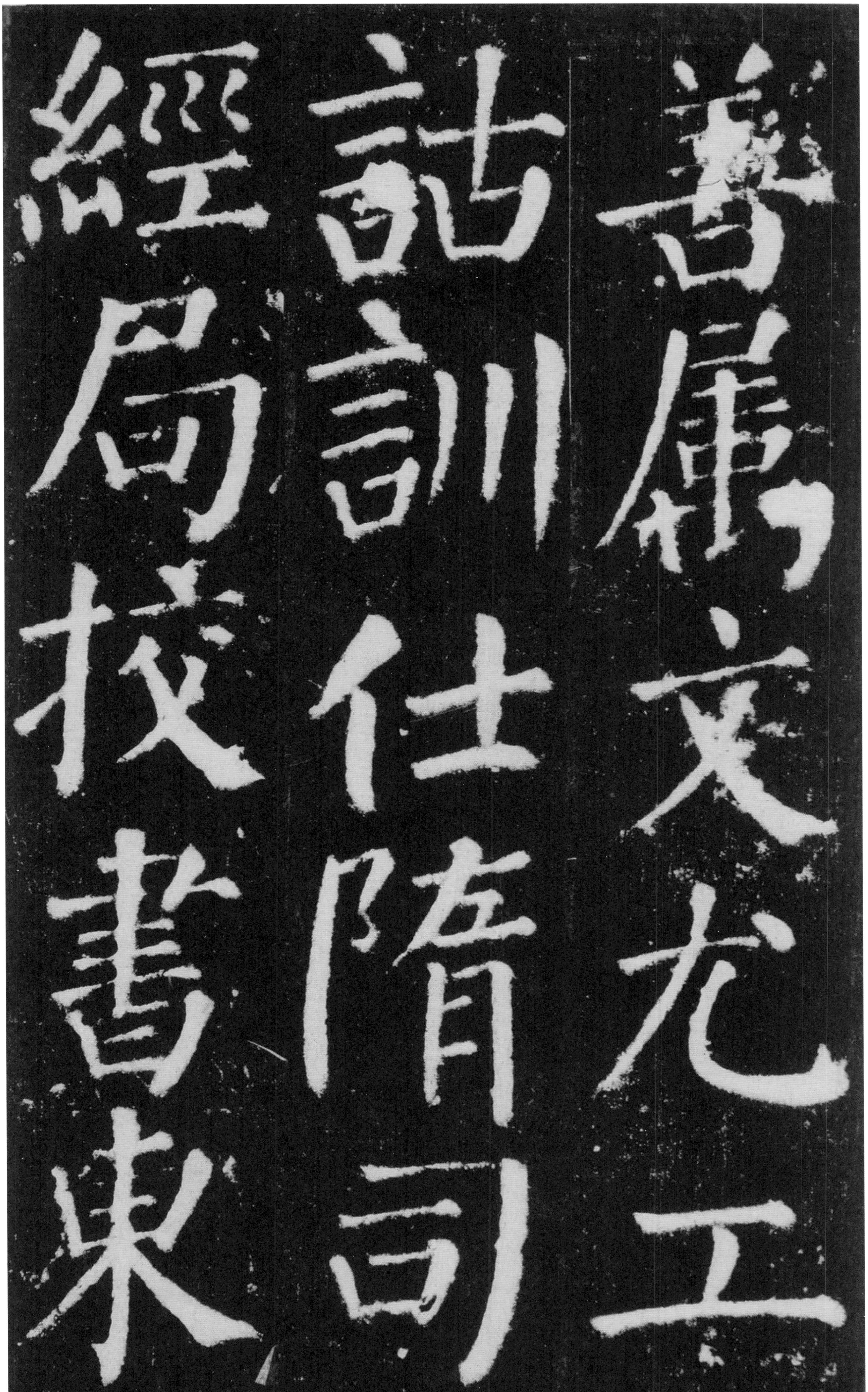

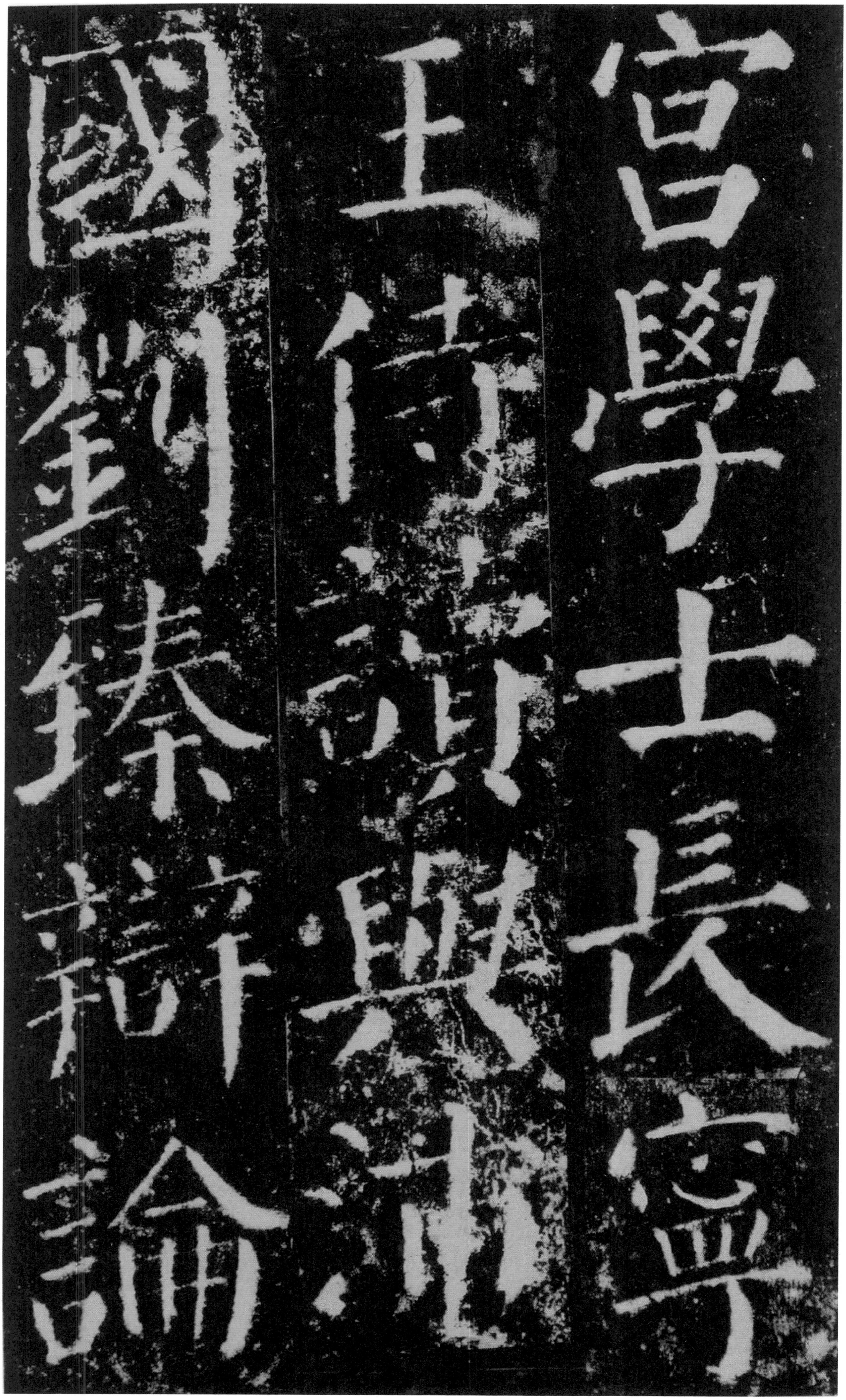

宫学士、长宁王侍读，与沛国刘臻辩论

经义，臻阃屈焉。《齐书·黄门传》云，《集序》君

自作後加踰

岷將軍

太宗為秦王

自作，后加踰（逾）岷将军。太宗为秦王，

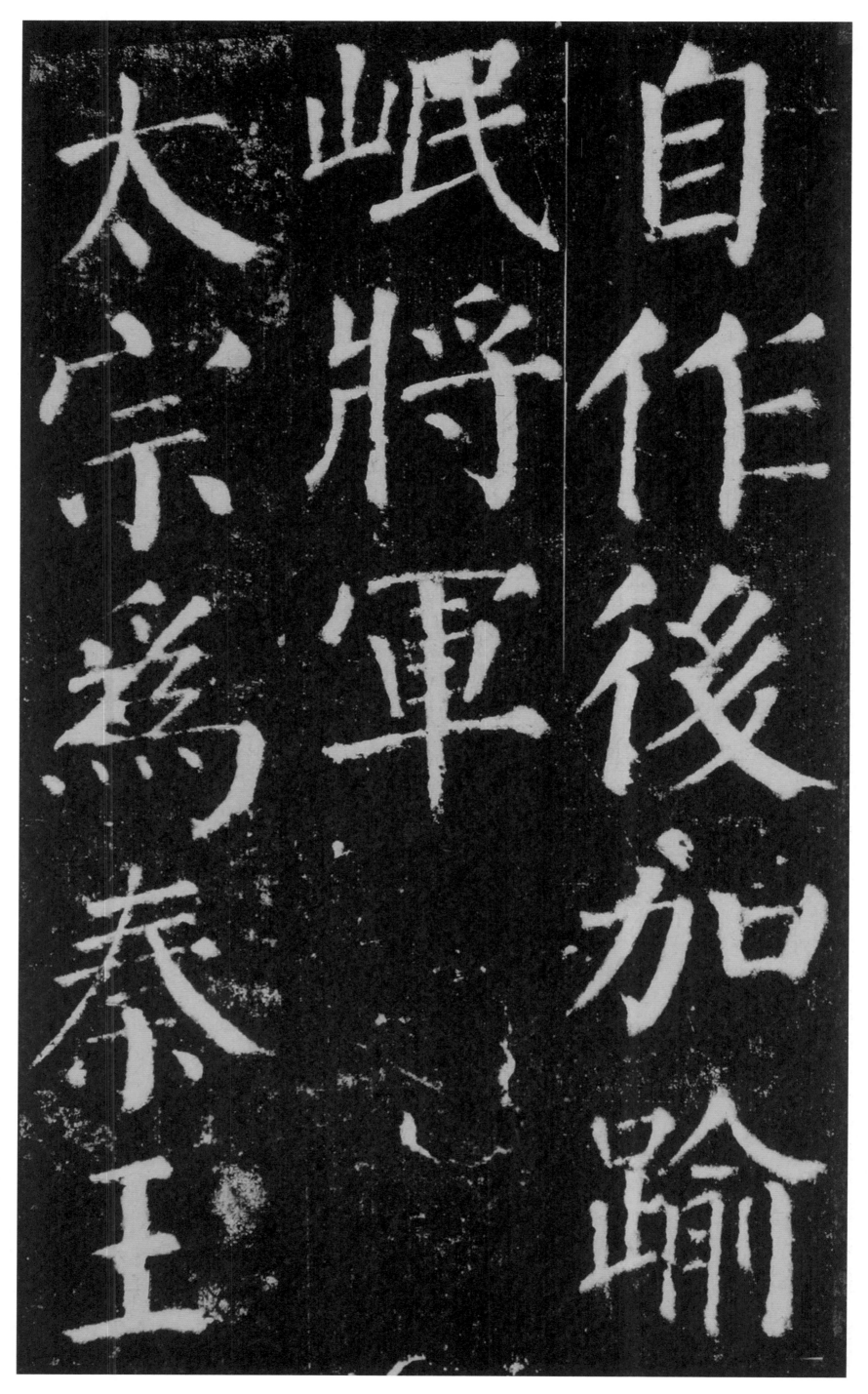

精选僚属，拜记室参军，加仪同。娶御正

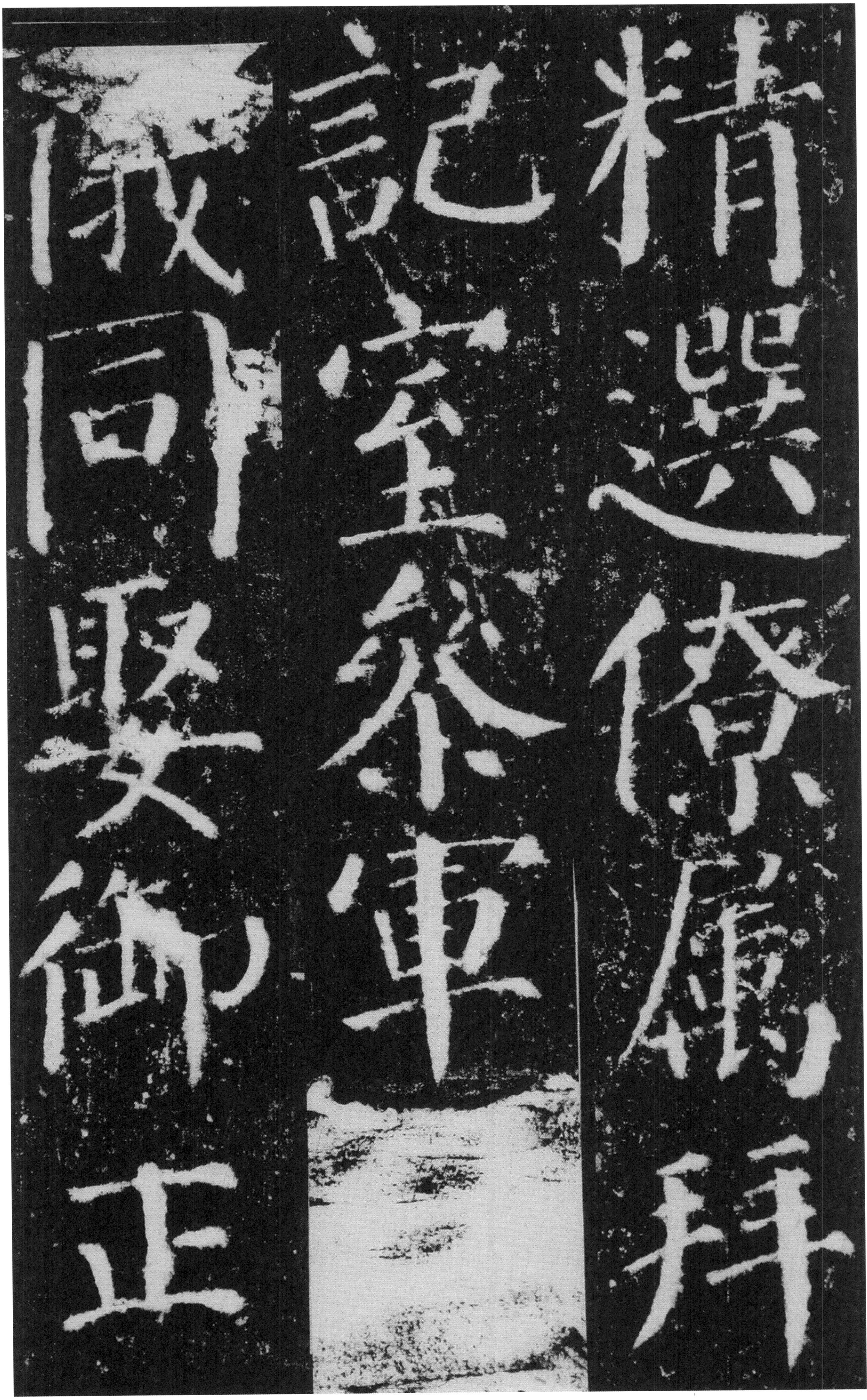

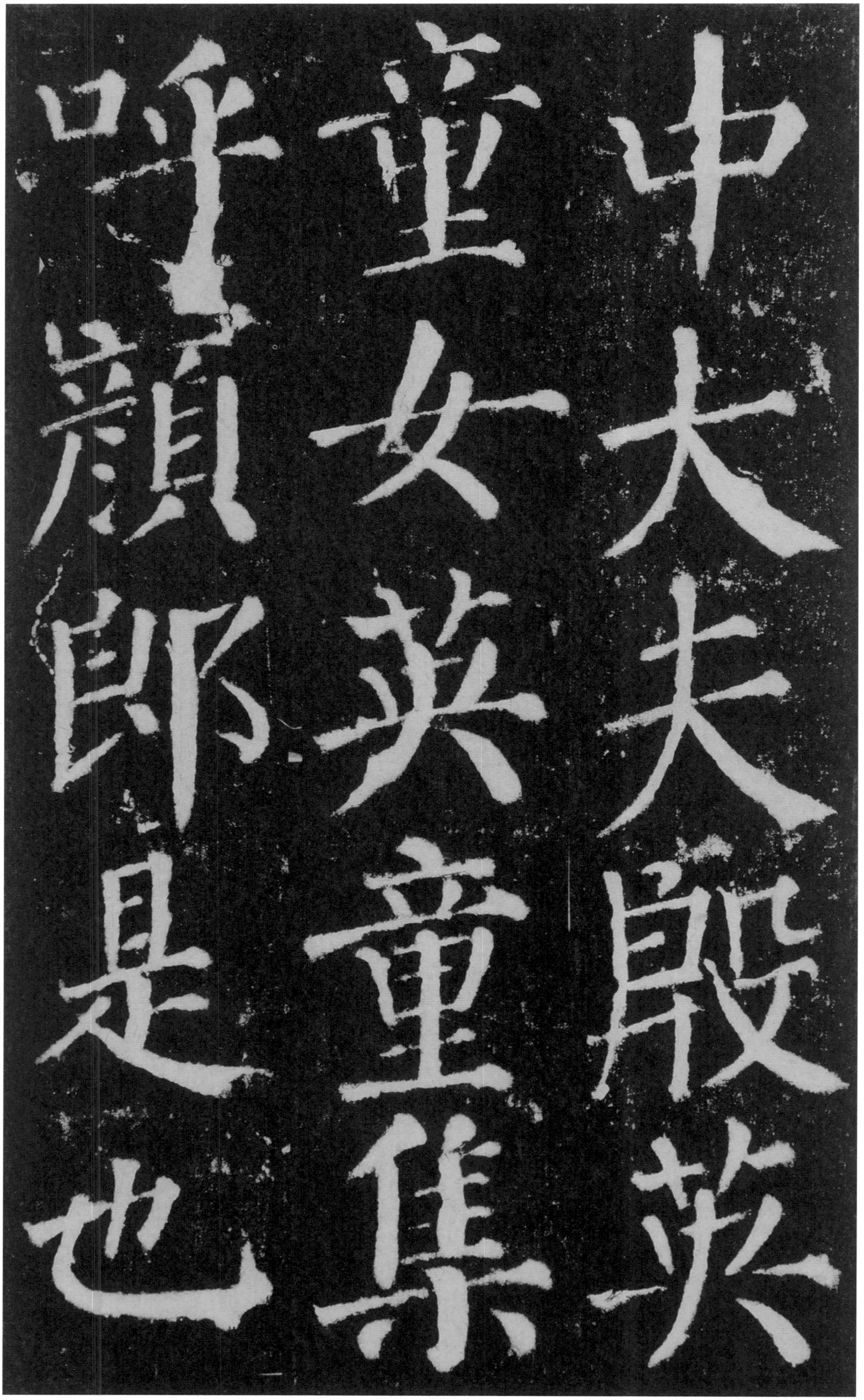

中大夫殷英童女，《英童集》呼『颜郎』是也，

更唱和者二十余首。《温大雅传》云：『初，君

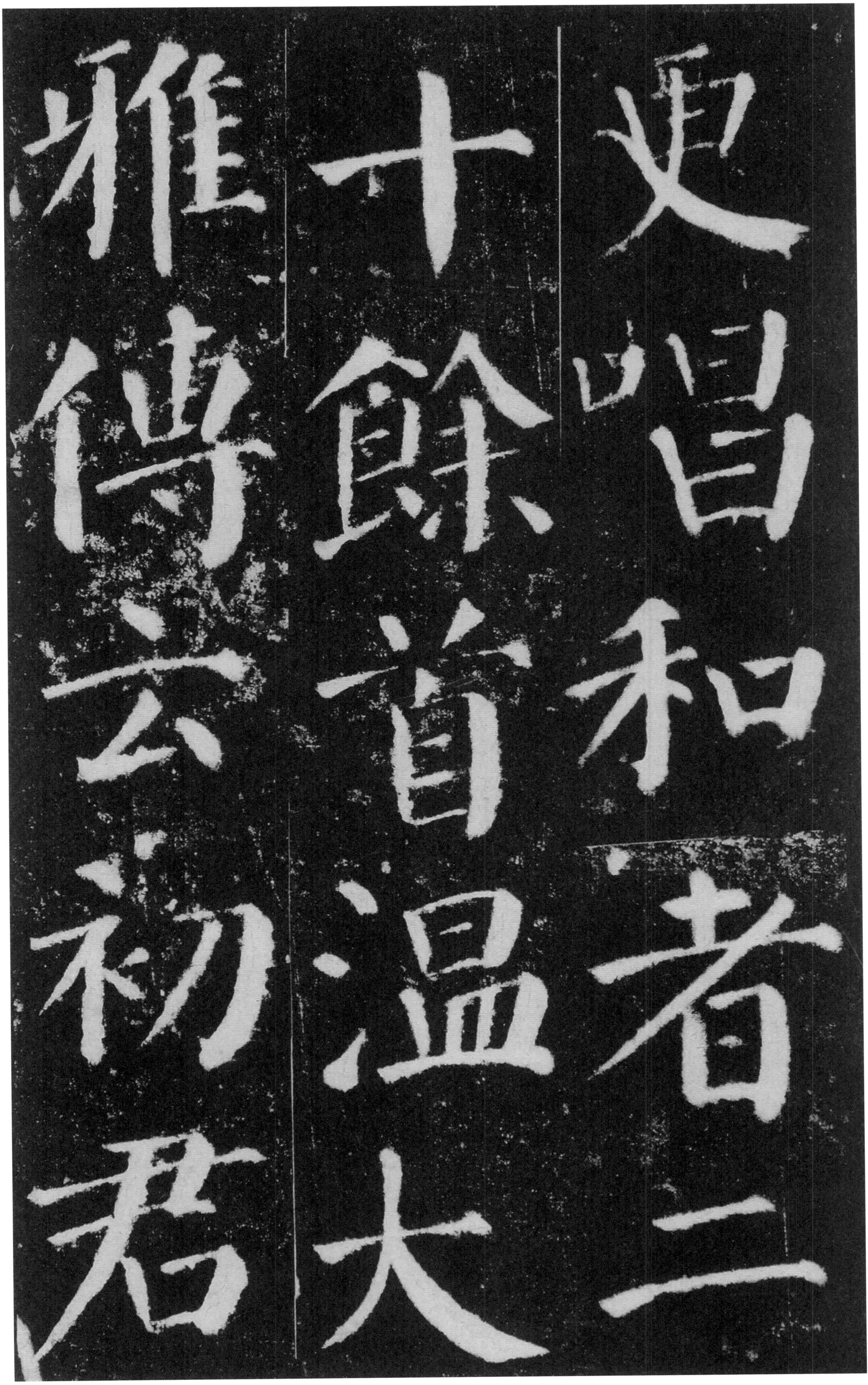

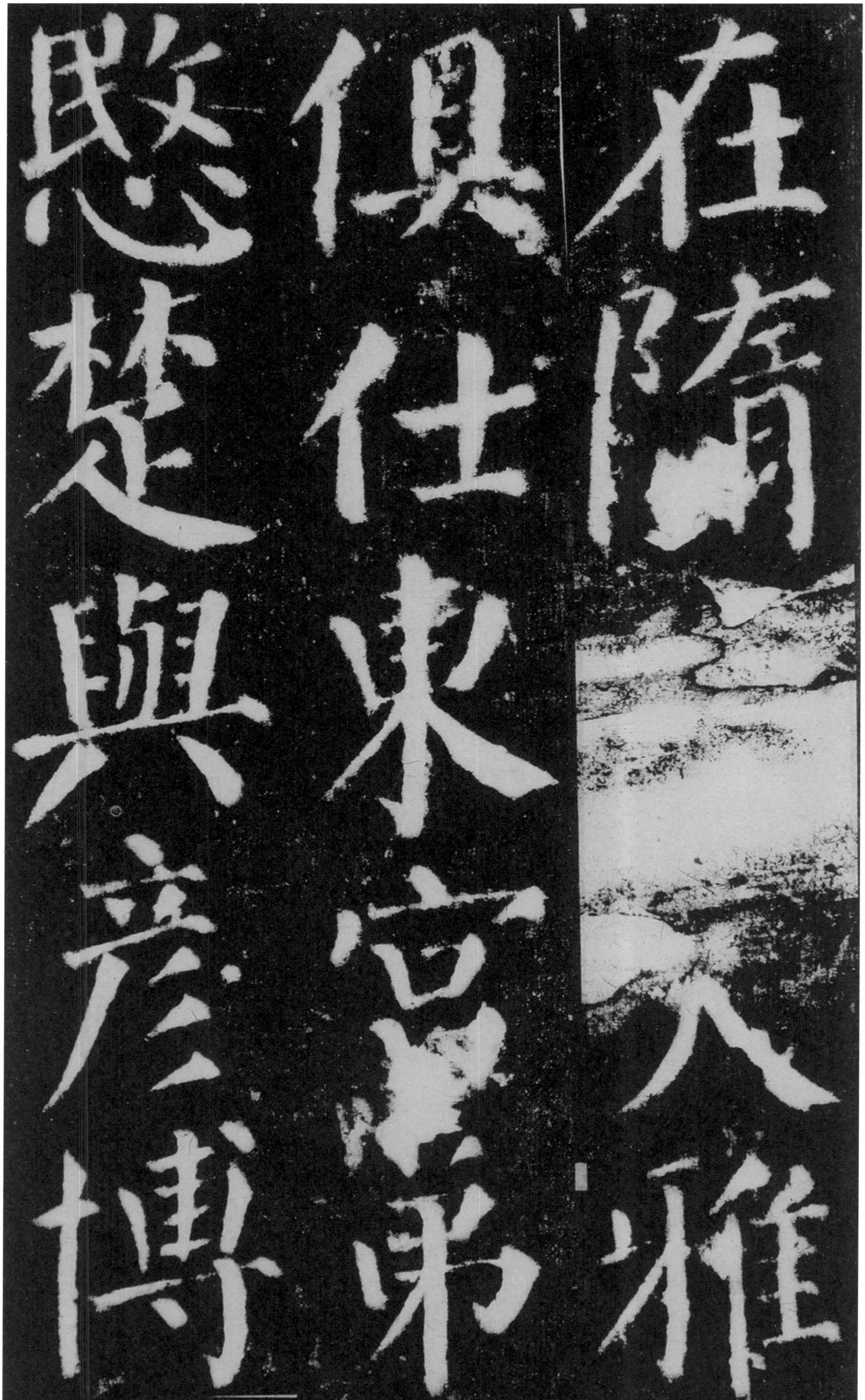

在隋，与大雅俱仕东宫；弟愍楚，与彦博

同直内史省，愍楚弟游秦，与彦将俱典

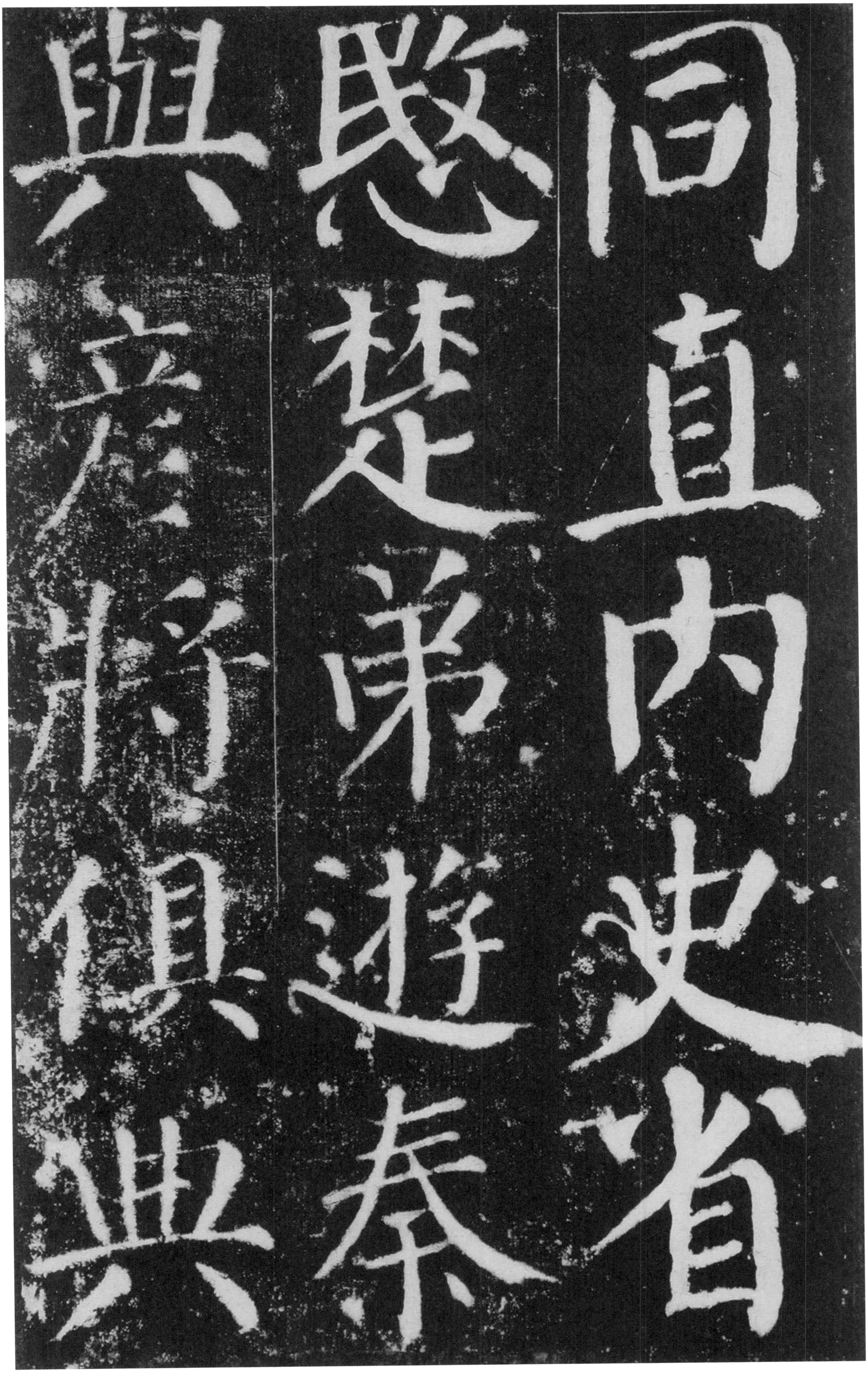

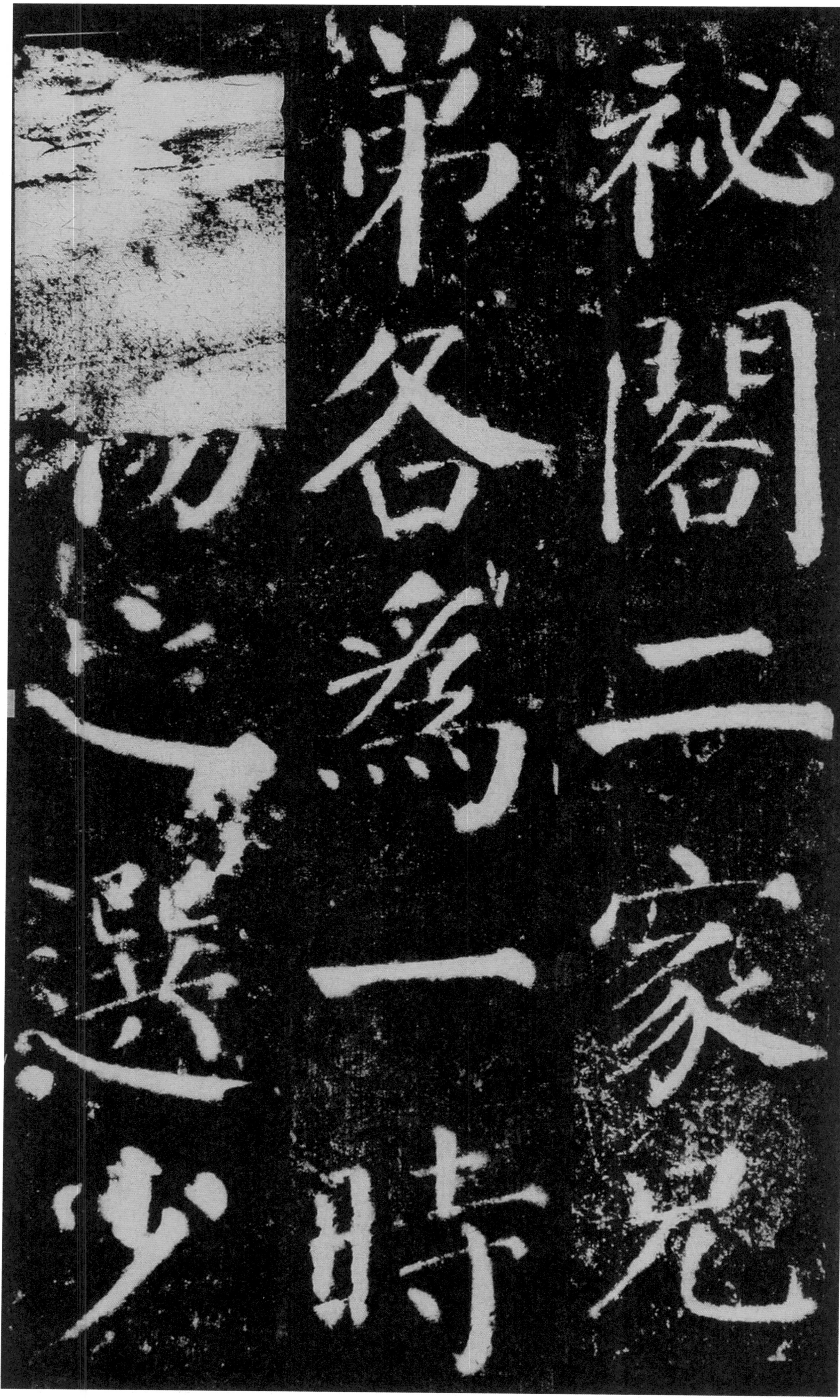
秘閣二家兄
弟各爲一時
物之選少

秘阁。二家兄弟，各为一时人物之选。少

时学业，颜氏为优；其后职位，温氏为盛。』

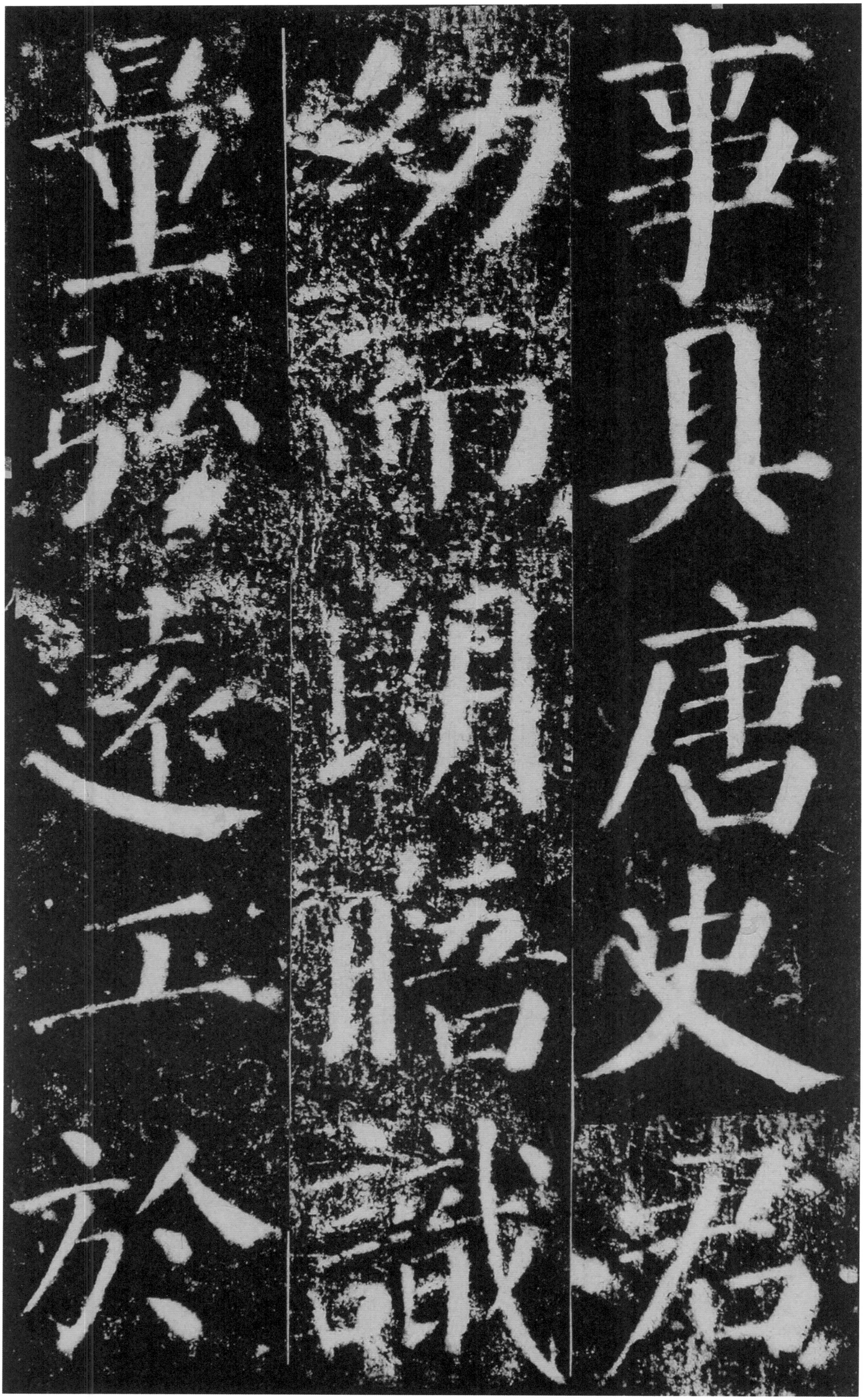

事具《唐史》。君幼而朗晤，识量弘远，工于

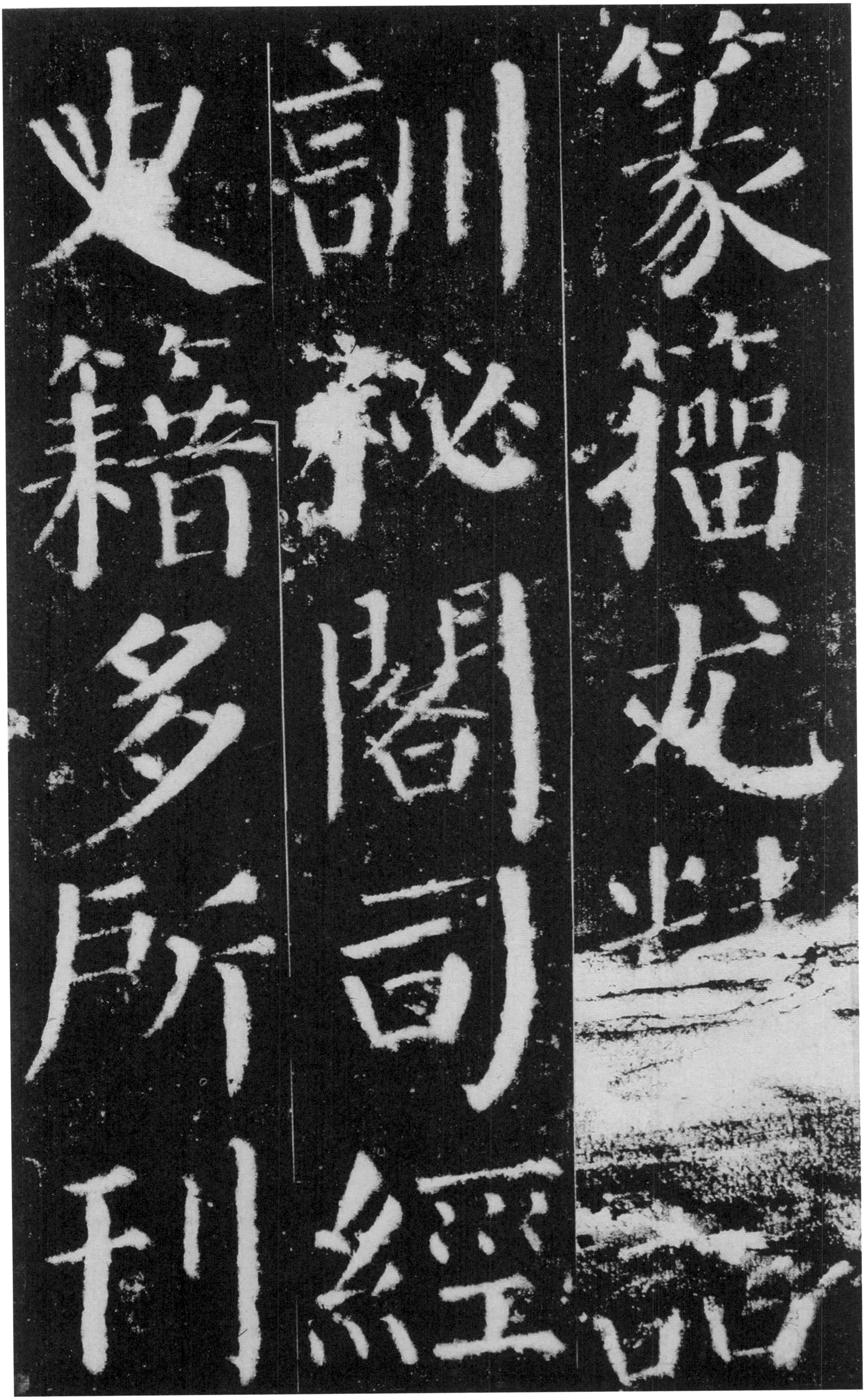

篆籀，尤精诂训，秘阁、司经史籍，多所刊

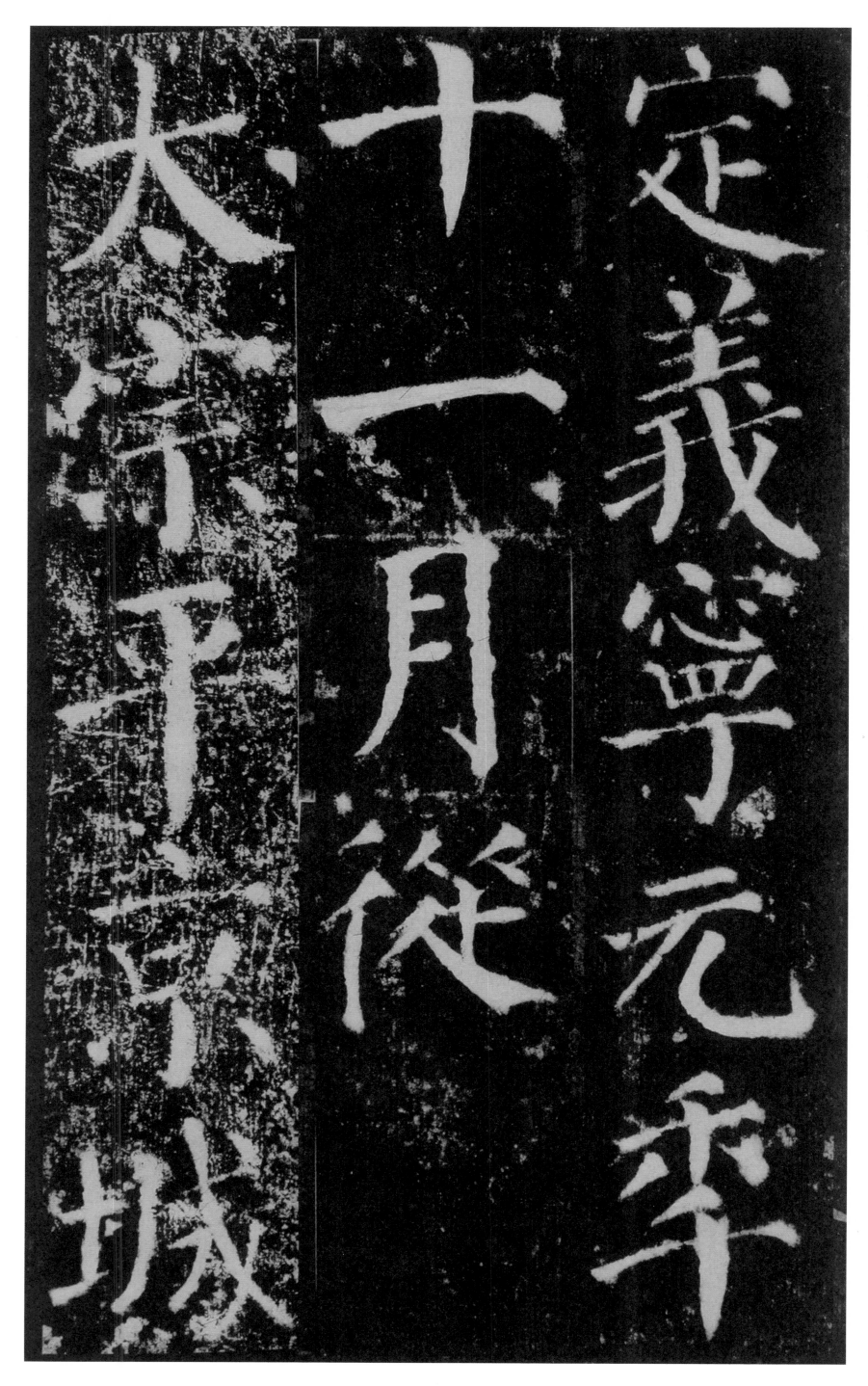

定義寧元年
十一月從
太宗平京城

定。义宁元年十一月，从太宗平京城，

授朝散、正议大夫勋，解褐秘书省校书

郎武德中授
右領左右府
鎧曹參軍九

郎。武德中，授右领左右府铠曹参军。九

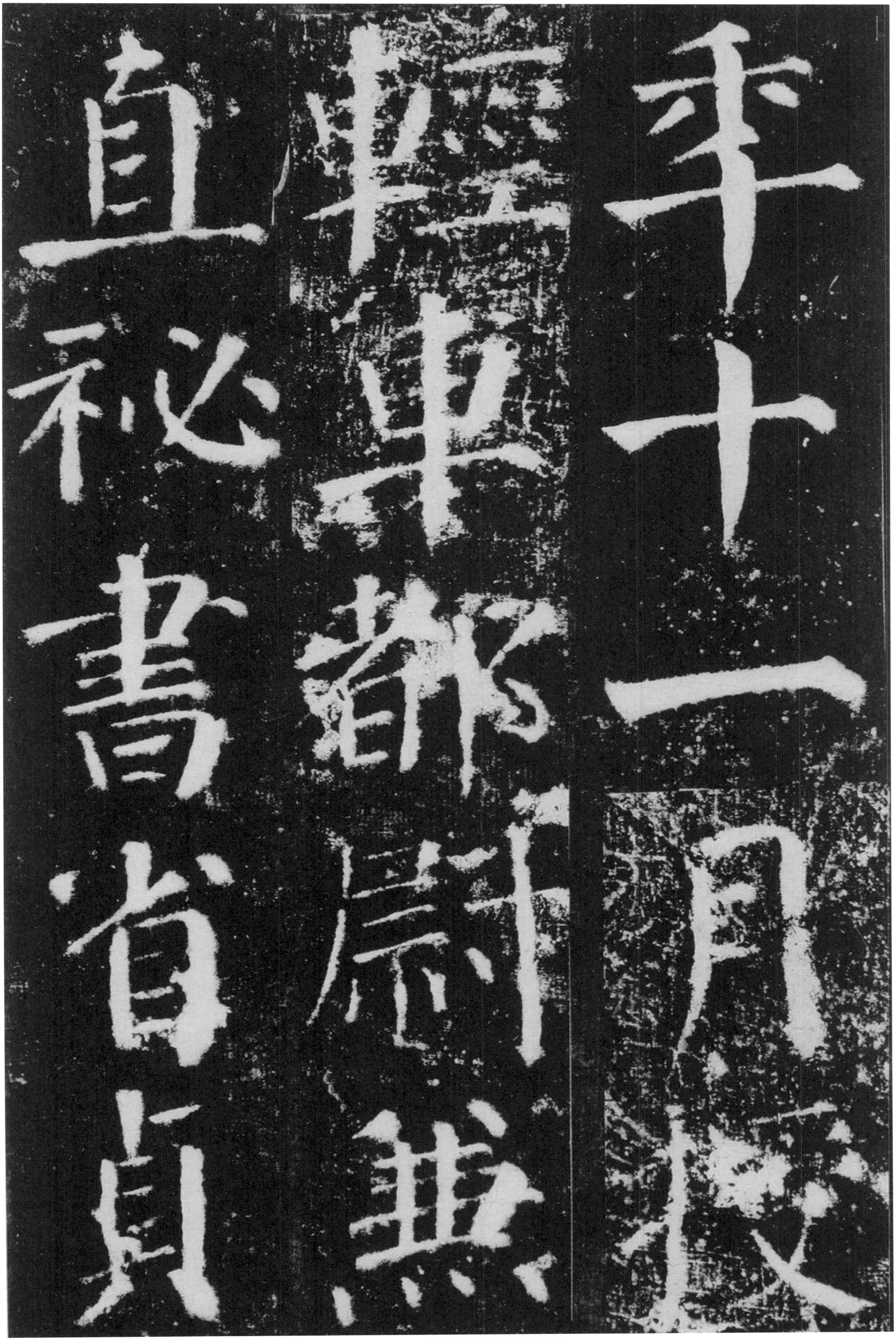

年十一月，授轻车都尉，兼直秘书省。贞

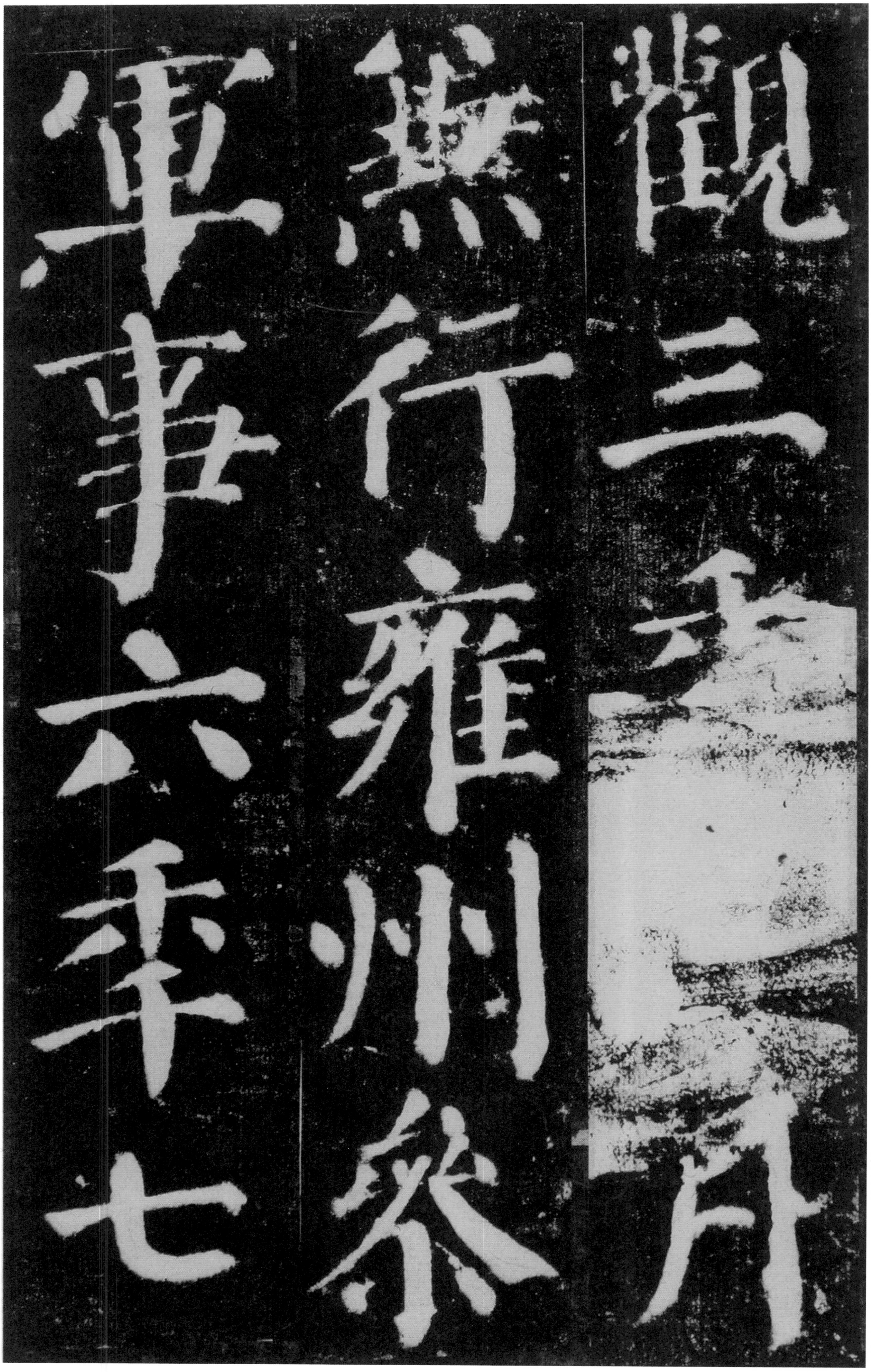

观三年六月，兼行雍州参军事。六年七

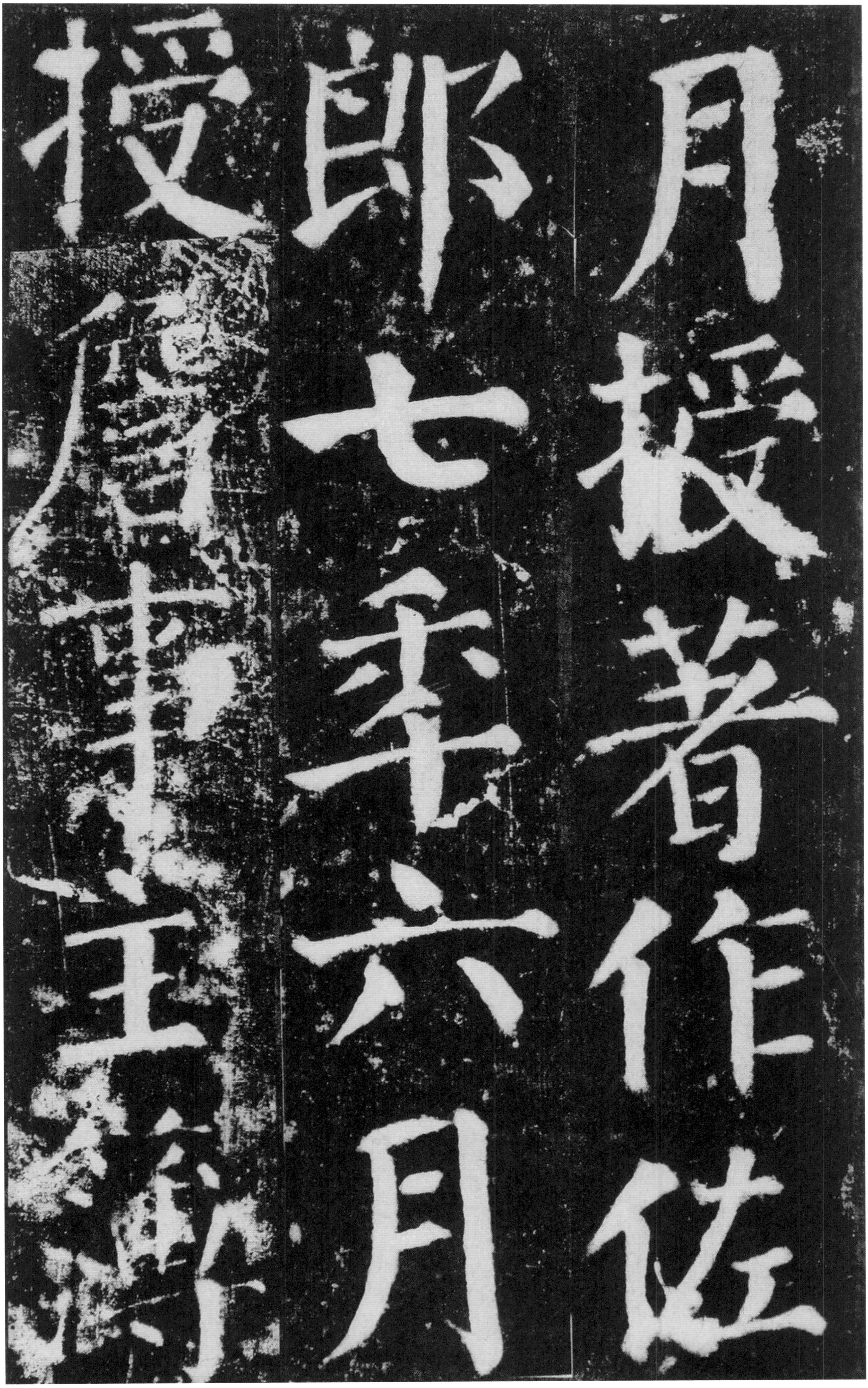

月，授著作佐郎。七年六月，授詹事主簿，

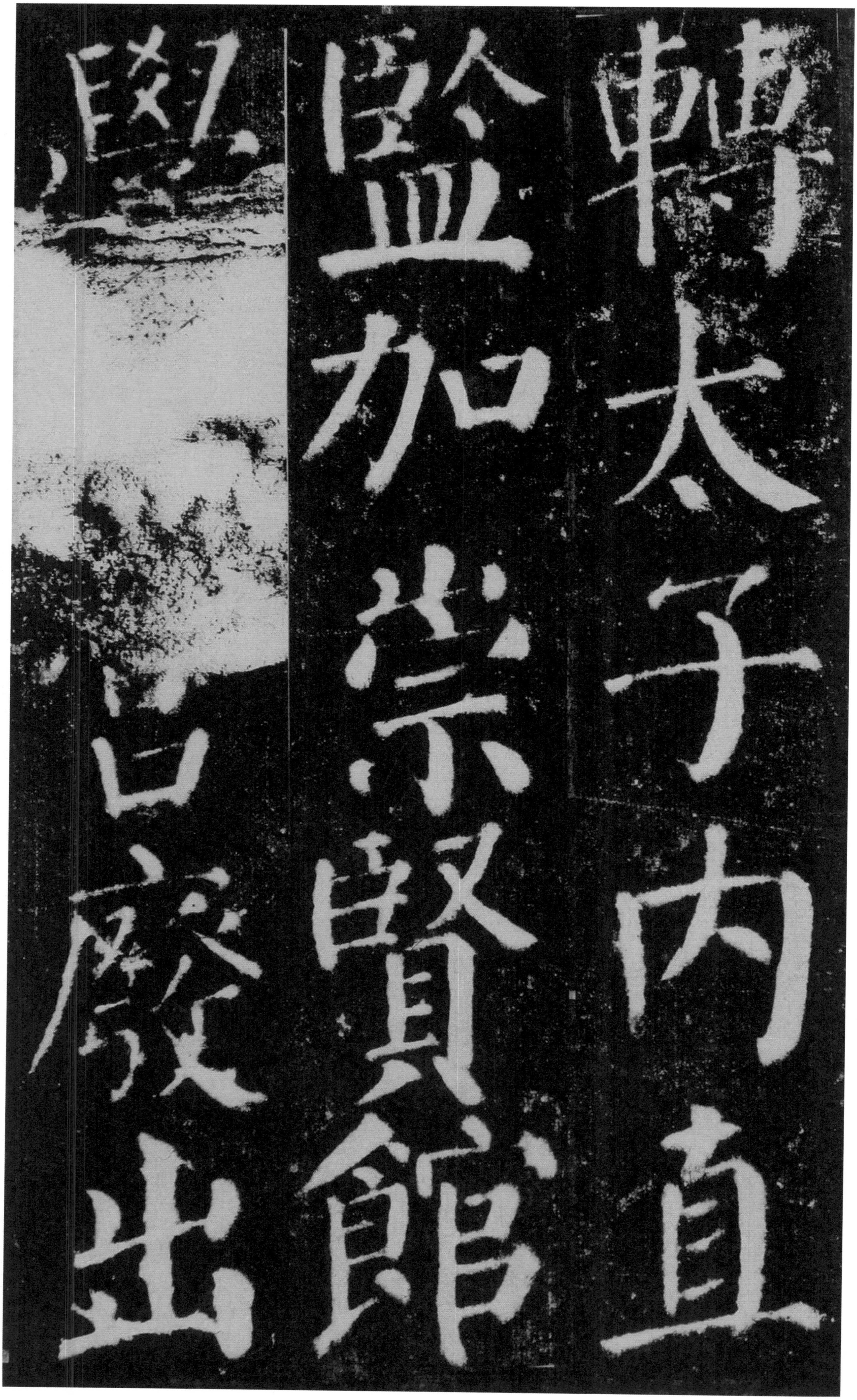

转太子内直监，加崇贤馆学士。宫废，出

补蒋王文学，弘文馆学士。永徽元年三

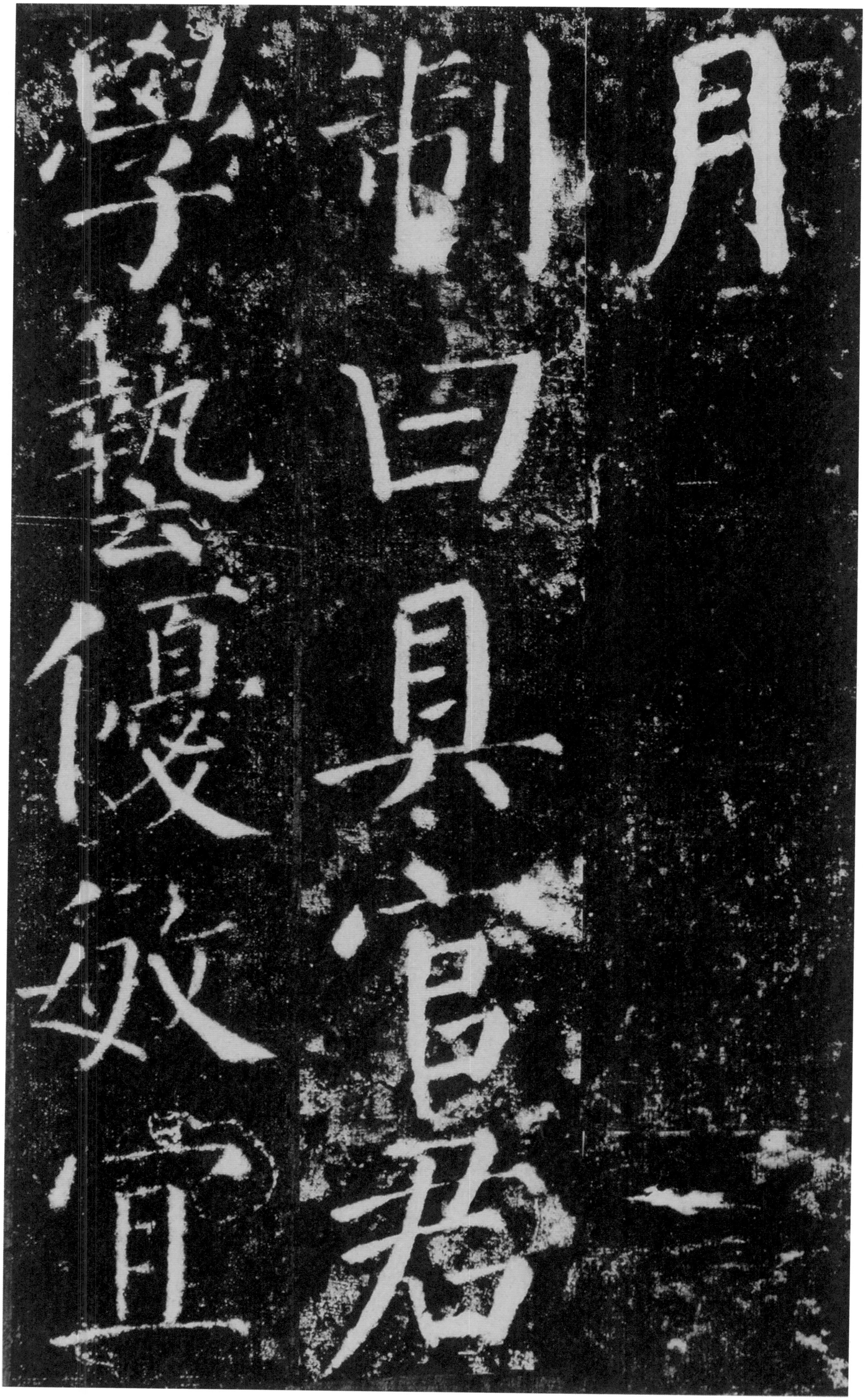

月，制曰：『具官，君学艺优敏，宜

加奖擢』。乃拜陈王属，学士如故。迁曹王

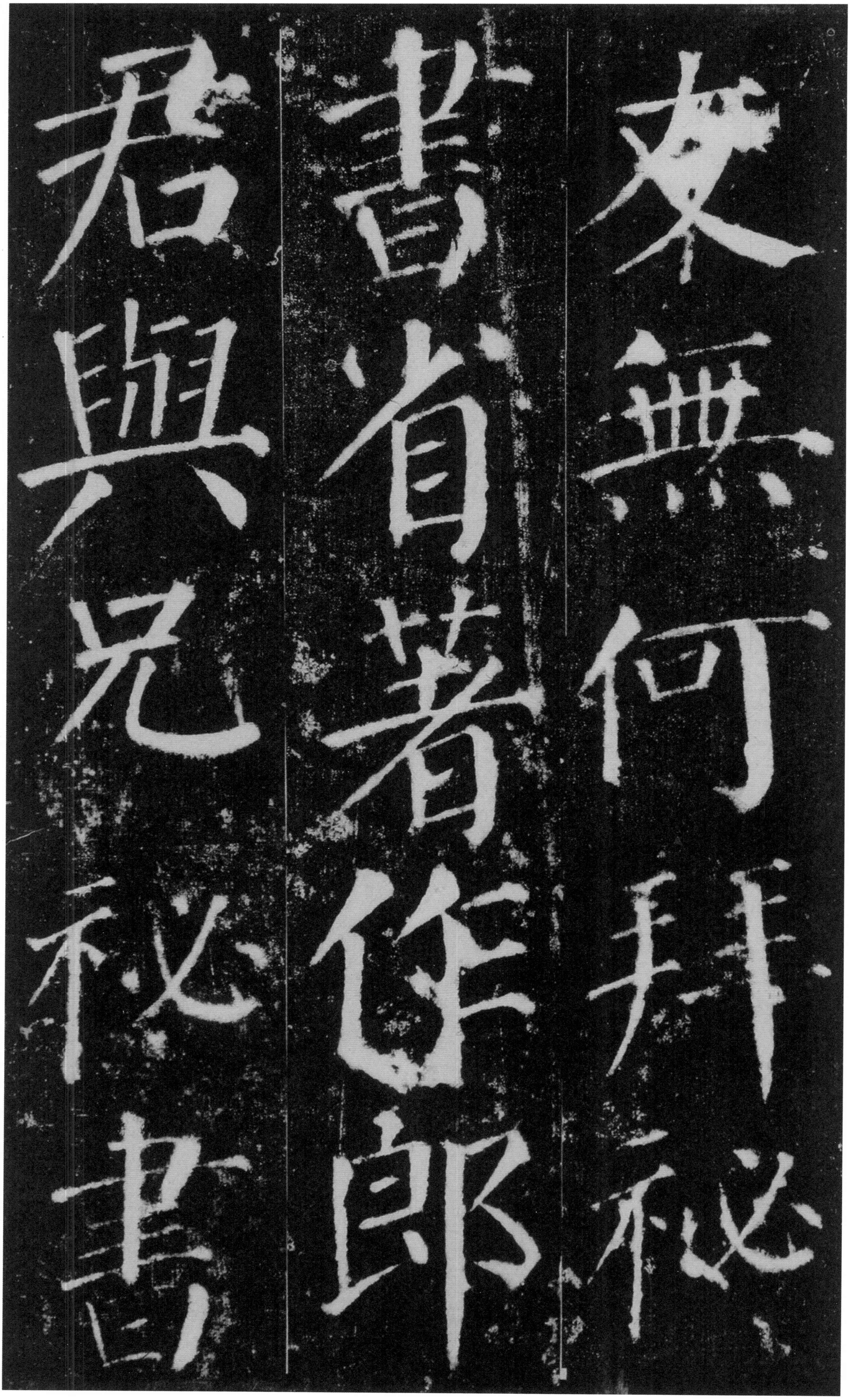
友無何拜秘
書省著作郎
君與兄秘書

友。无何，拜秘书省著作郎。君与兄秘书

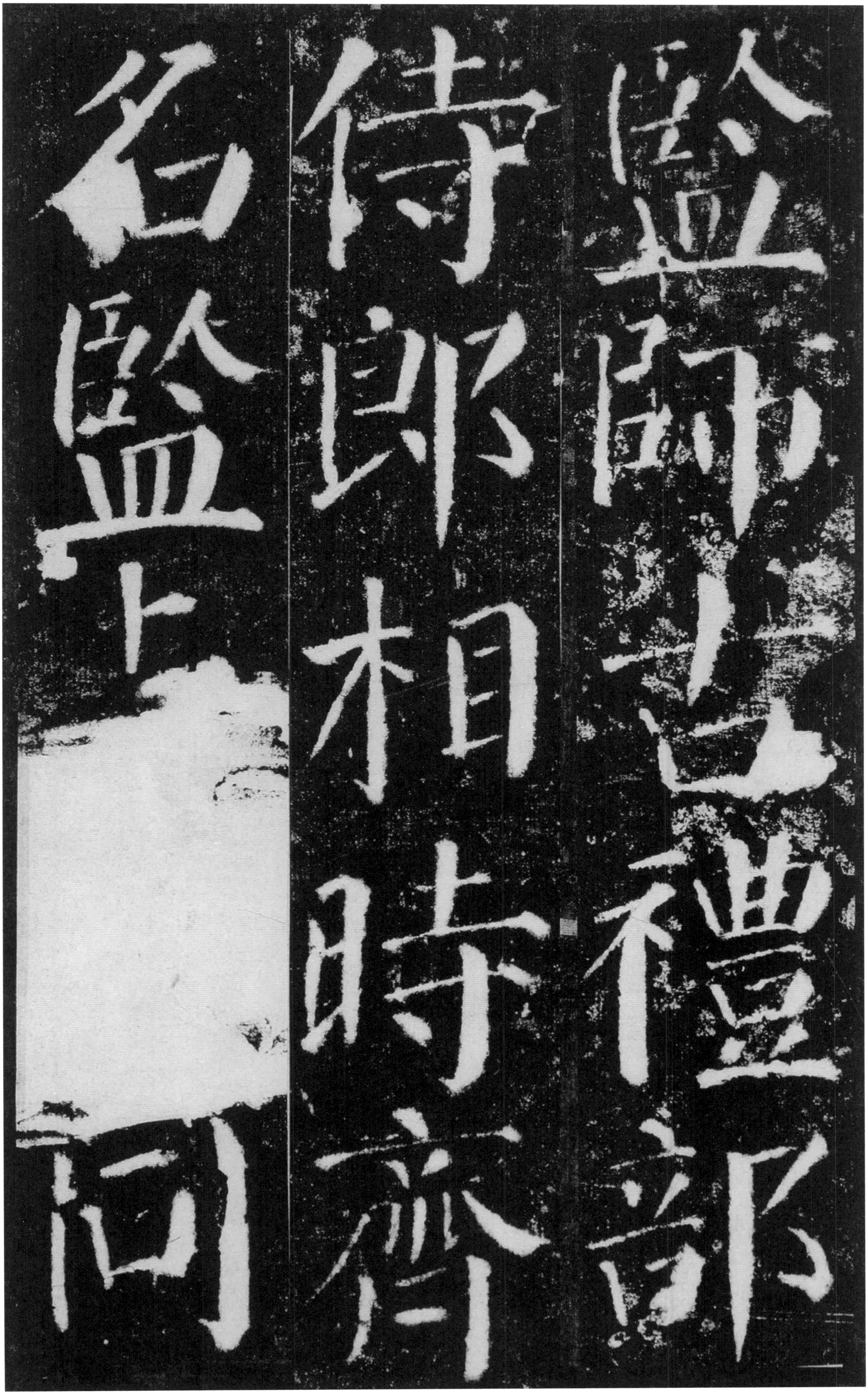

监师古、礼部侍郎相时齐名，监与君同

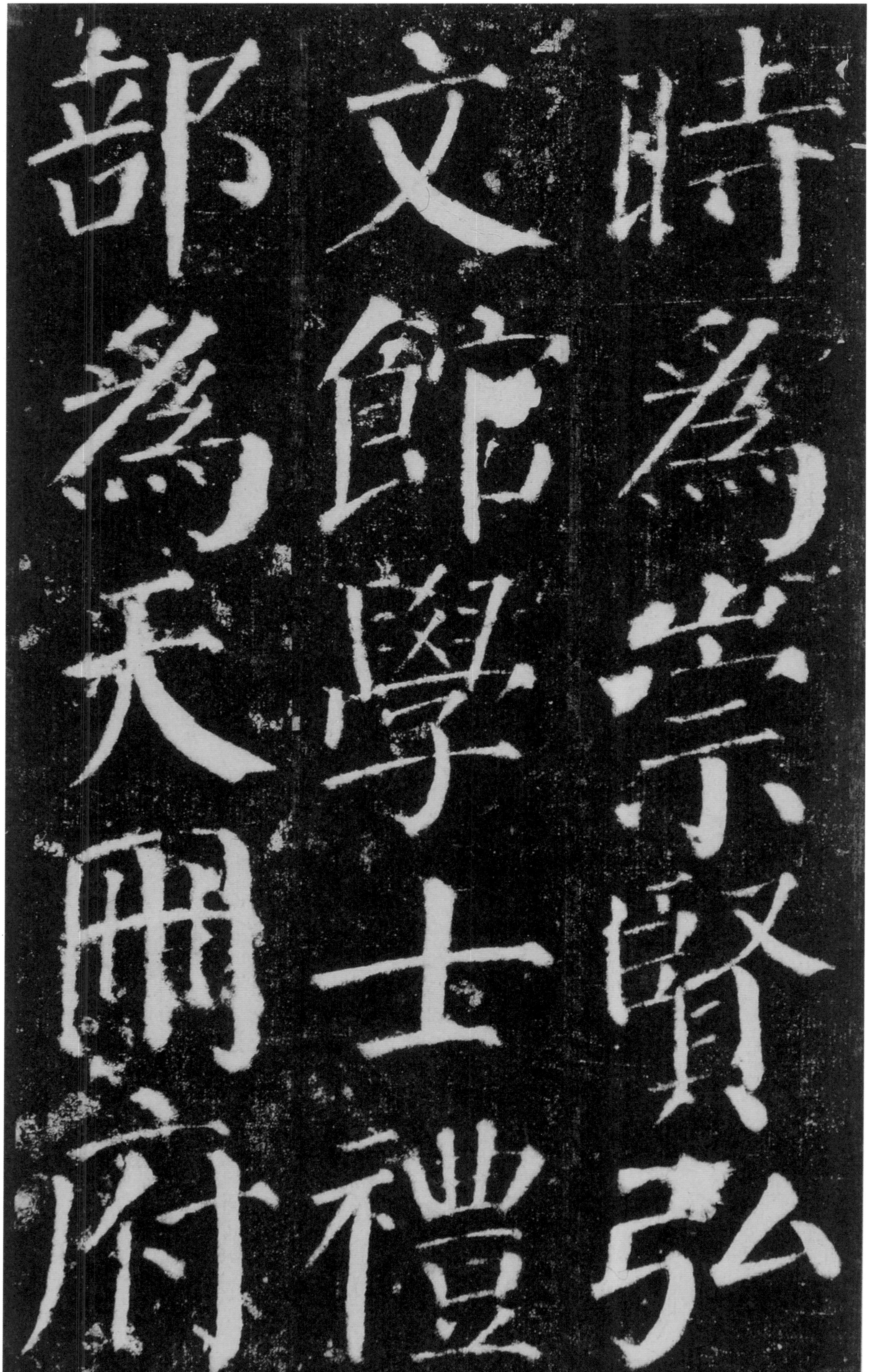

时为崇贤、弘文馆学士，礼部为天册府

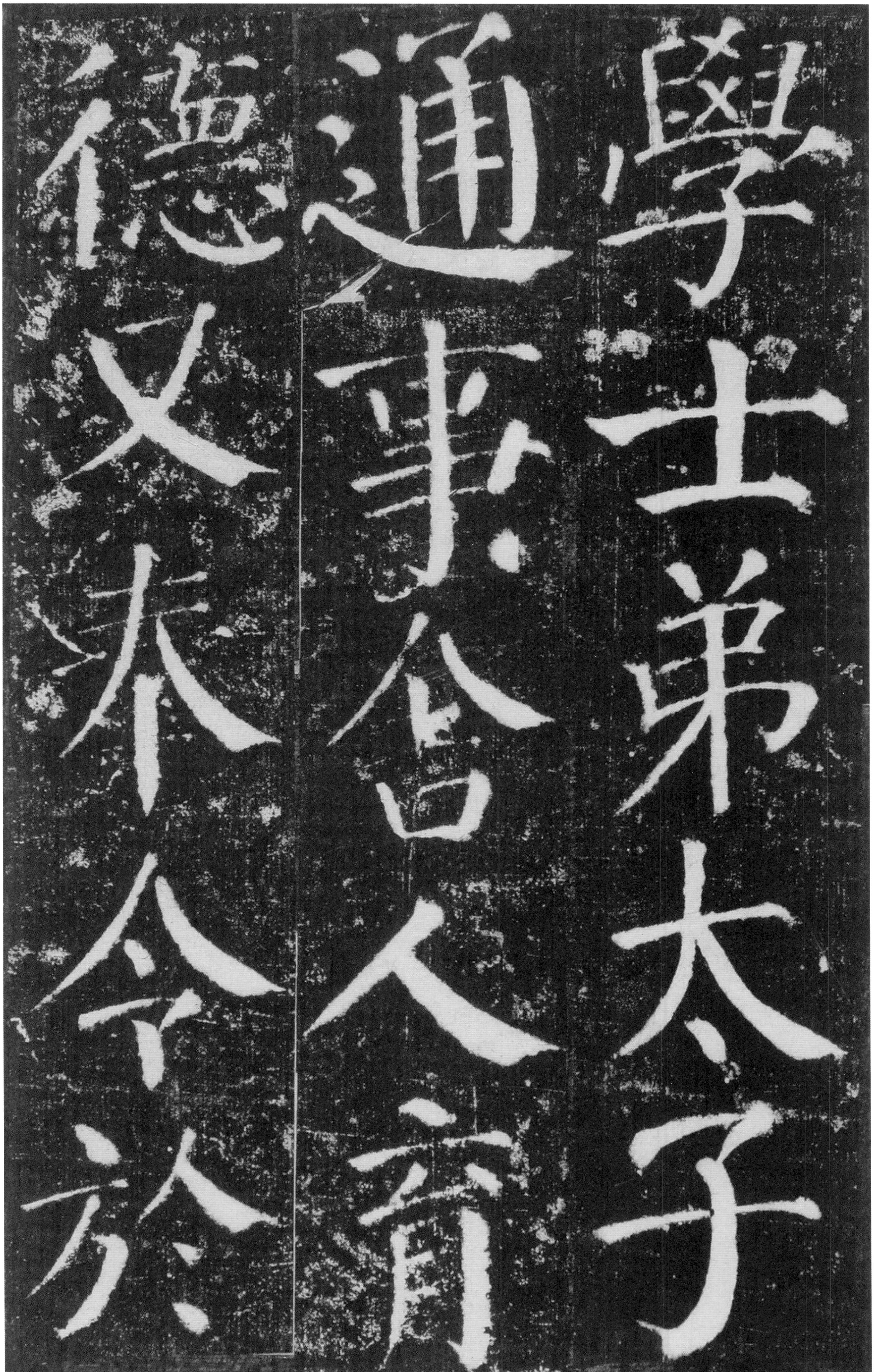
學士弟太子
通事舍人育
德又奏令於

学士，弟太子通事舍人育德又奏令于

司经局校定经史。太宗尝图画

崇贤诸学士，命监为赞，以君与监兄弟，

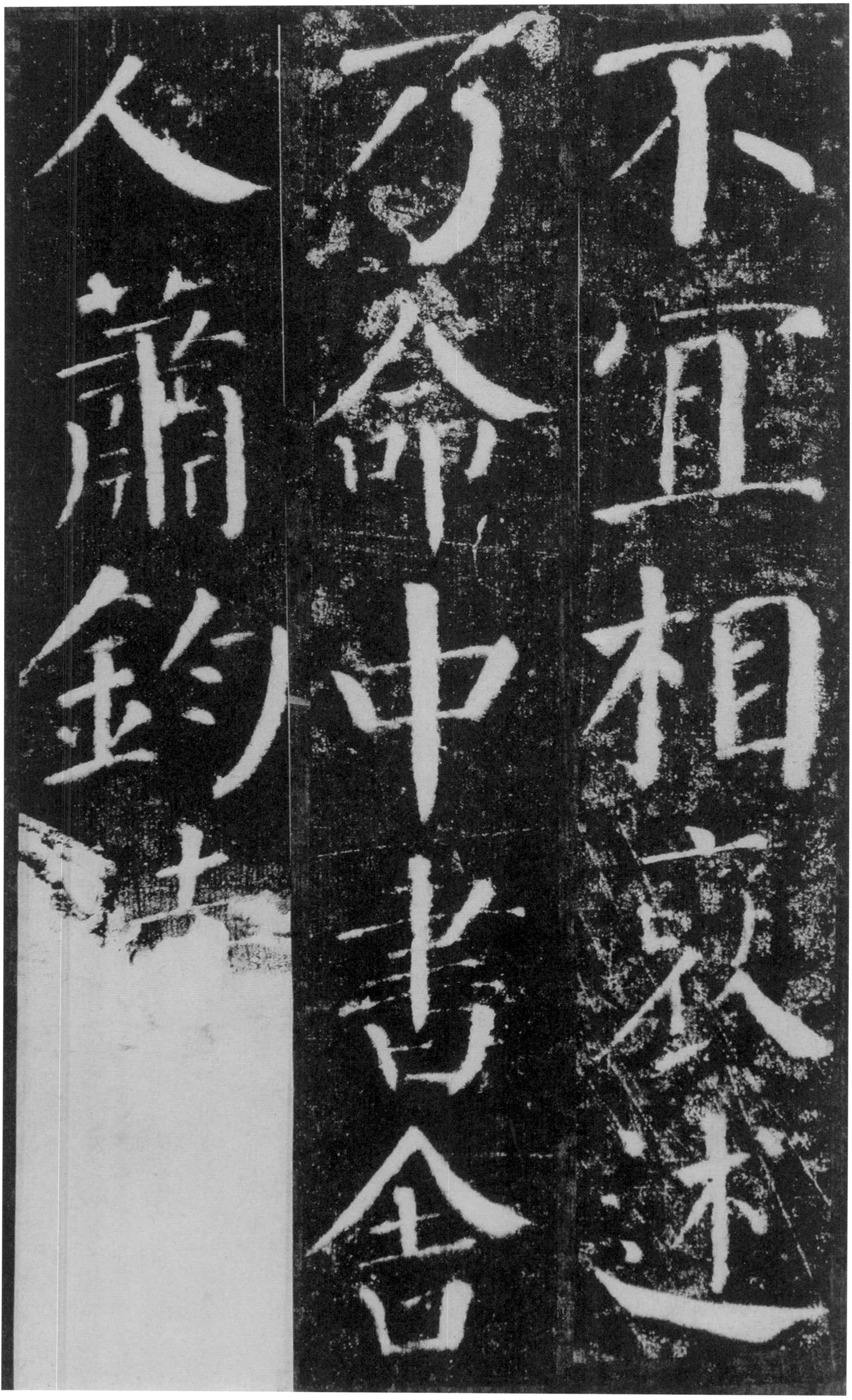

不宜相褒述，乃命中书舍人萧钧特赞

君曰：『依仁服义，怀文守一。履道自居，下

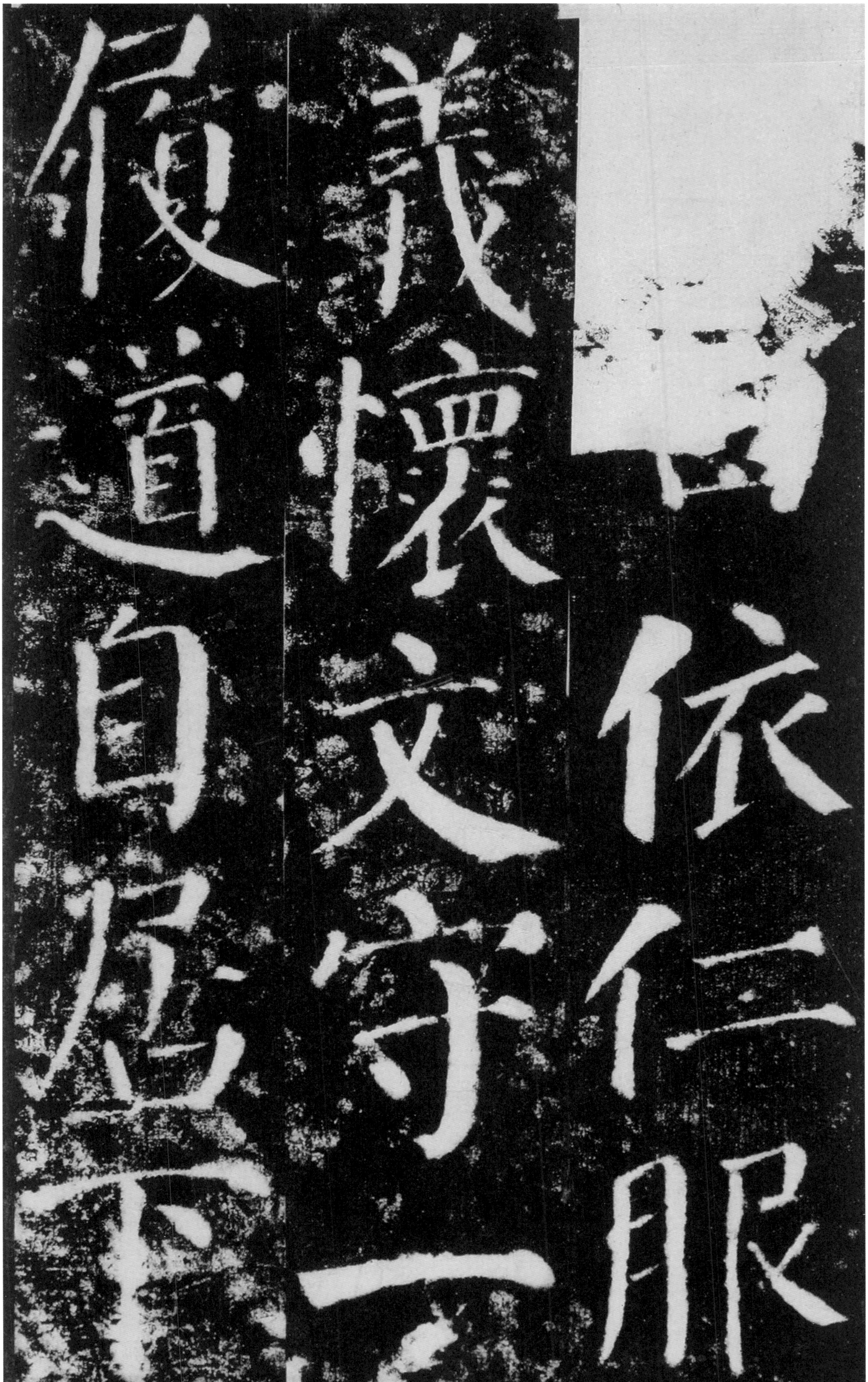

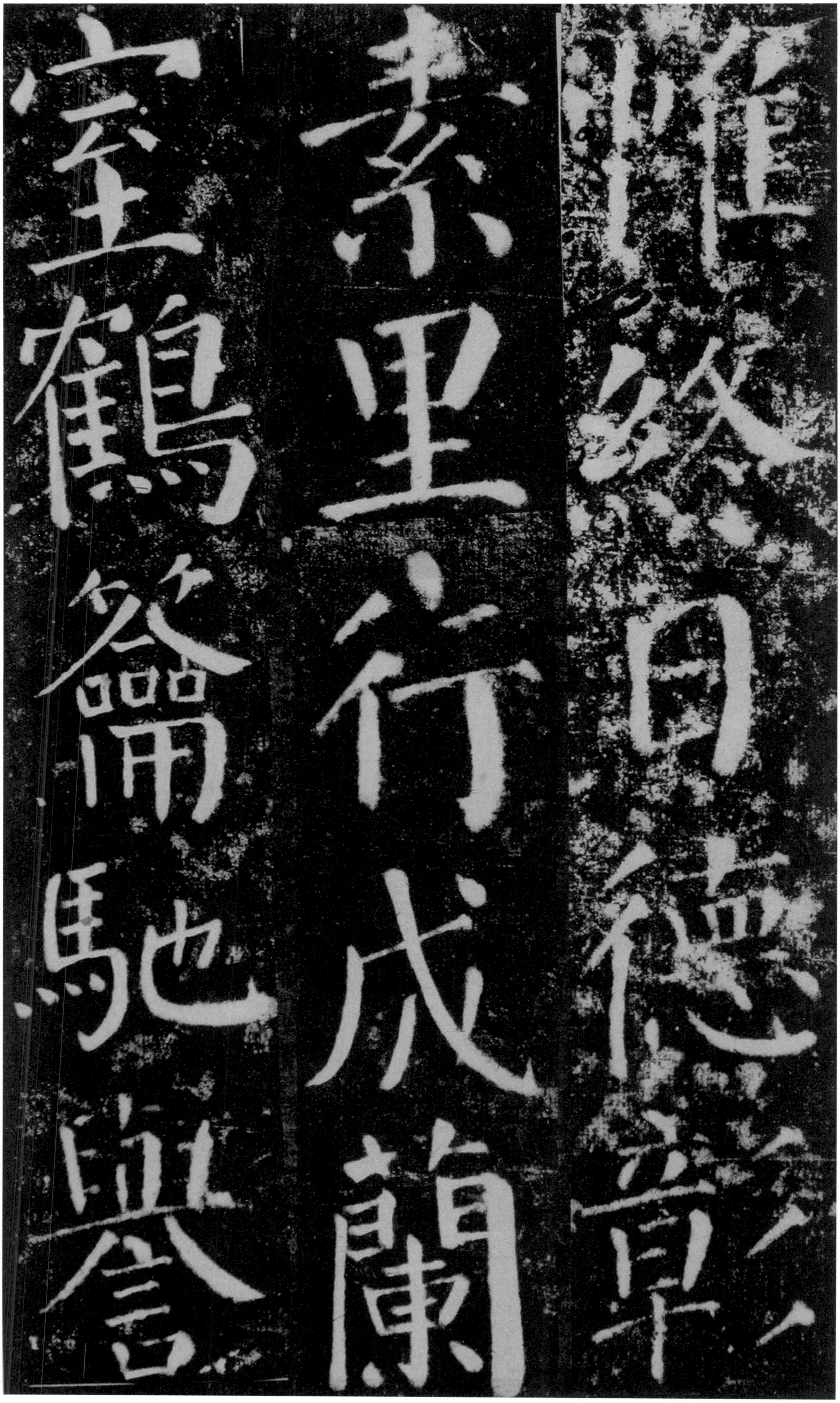

帷终日。德彰素里，行成兰室。鹤籥驰誉，

龙楼委质。』当代荣之。六年，以后夫人兄

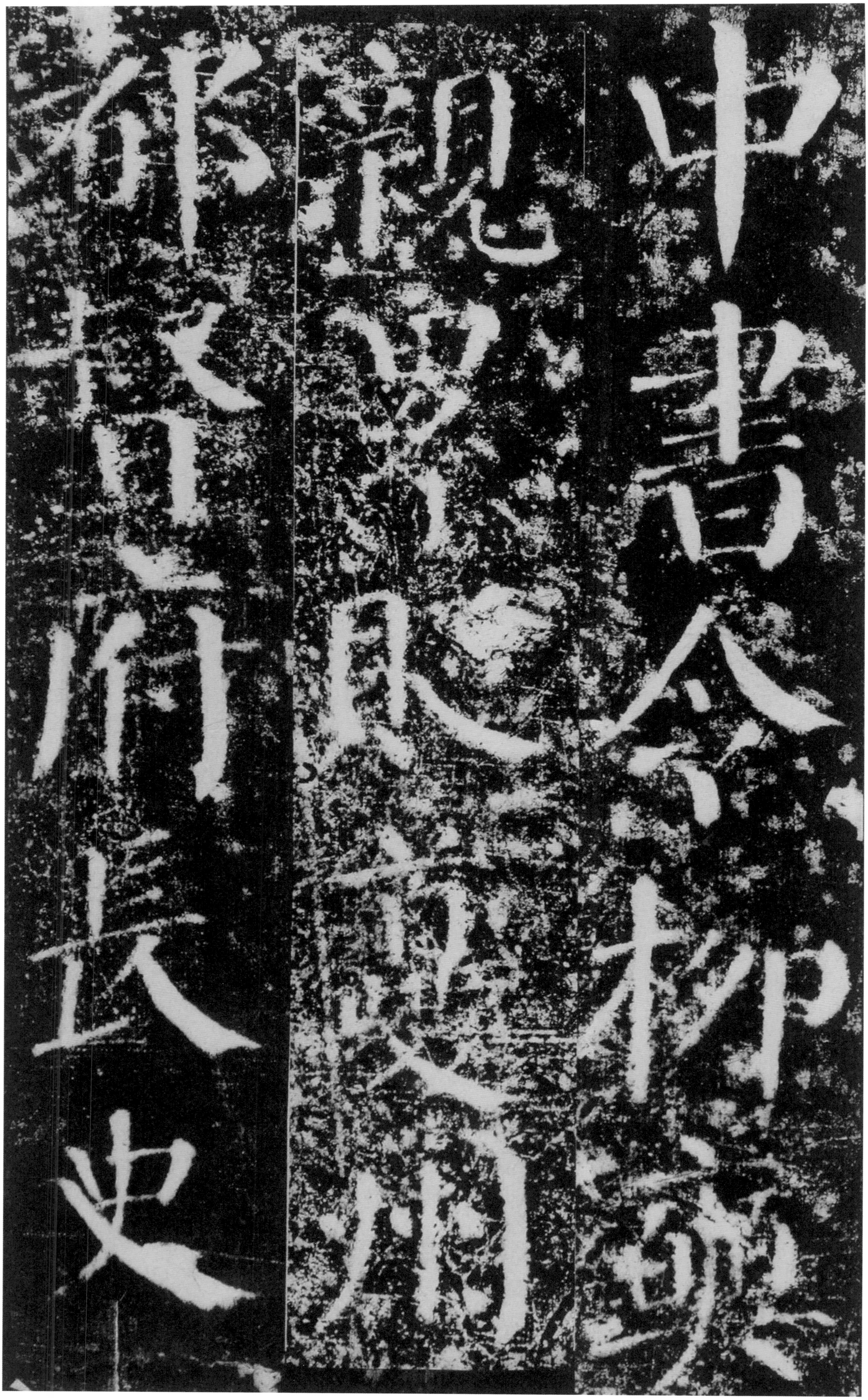

中书令柳奭亲，累贬夔州都督府长史。

明庆六年，加上护军。君安时处顺，恬无

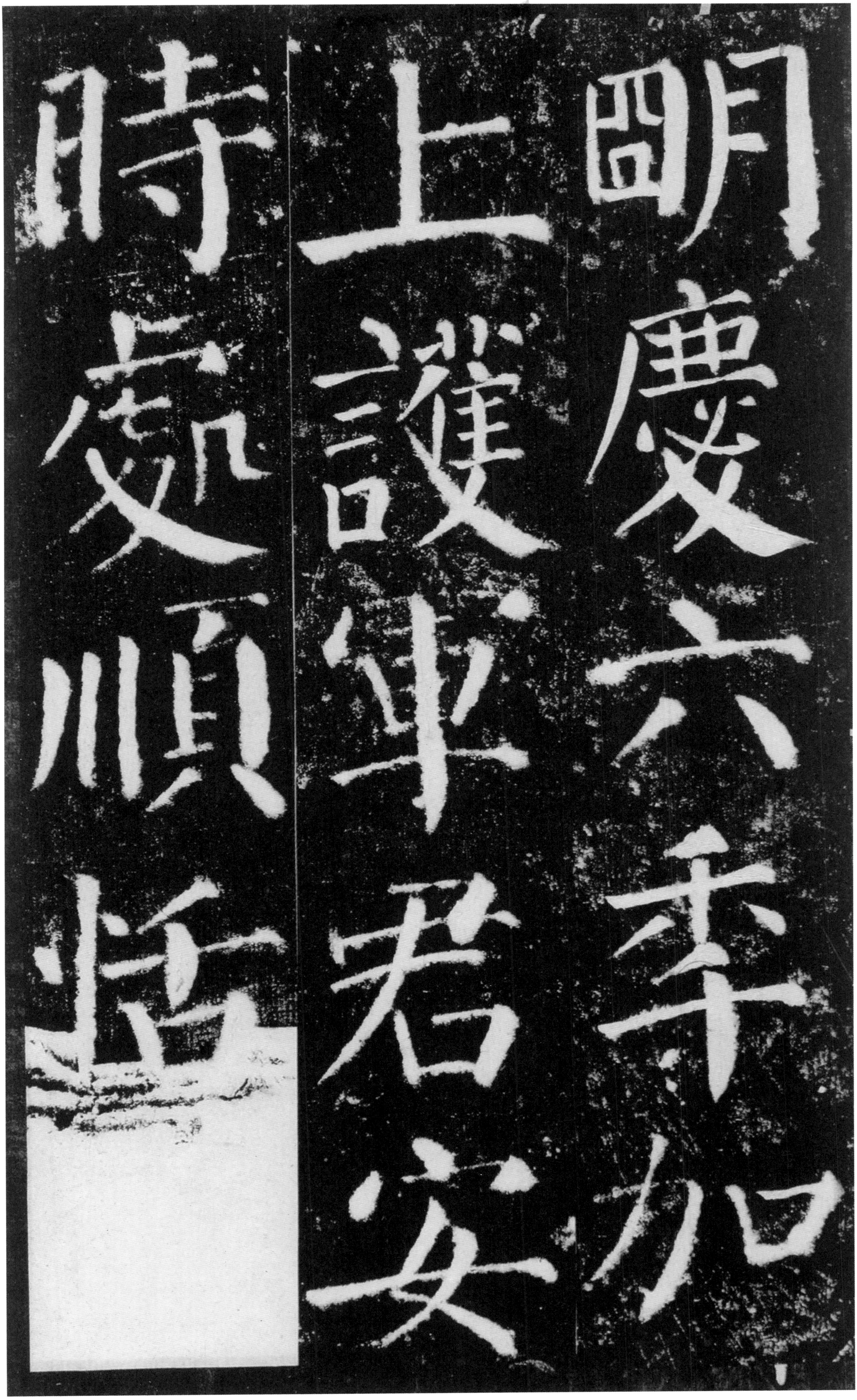

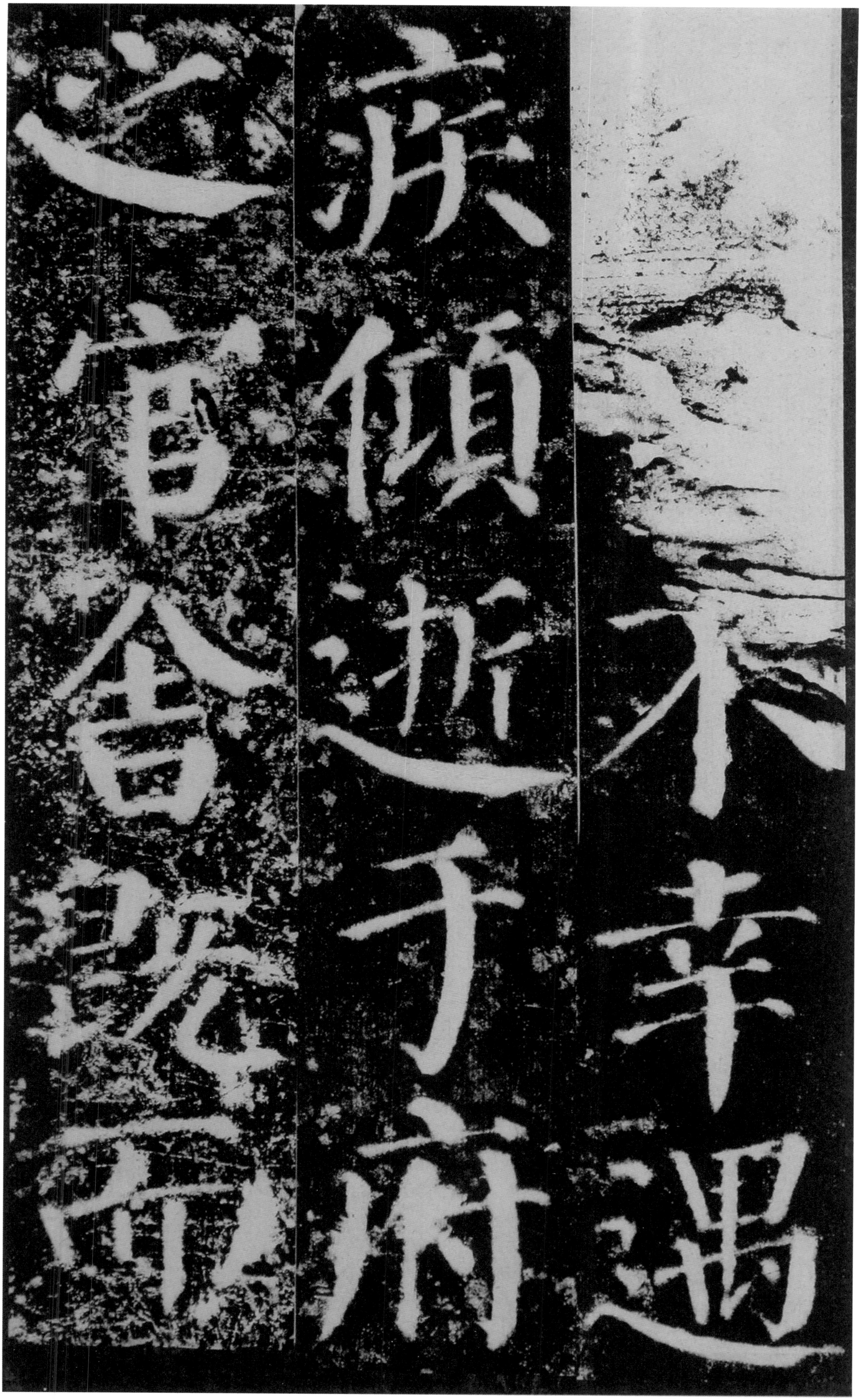

愊色。不幸遇疾，倾（顷）逝于府之官舍，既而

旋窆于京城东南万年县宁安乡之凤

栖原，先夫人陈郡殷氏臮柳夫人同合

祔焉，礼也。七子：昭甫，晋王、曹王侍读，赠

华州刺史，事具真卿所撰《神道碑》。敬仲，

吏部郎中，事具刘子玄《神道碑》。殆庶、无

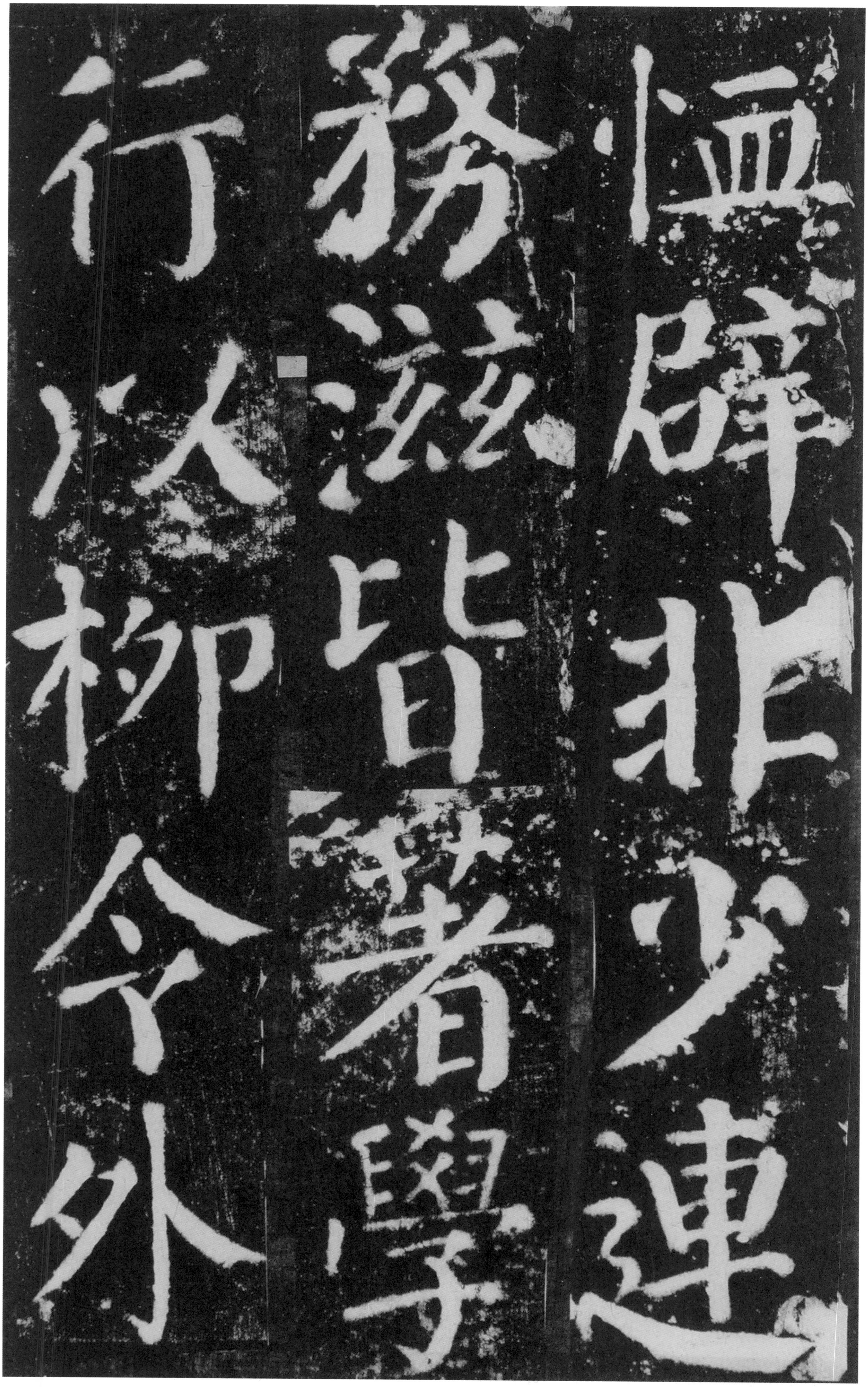

恤、辟非、少连、务滋，皆著学行，以柳令外

甥不得仕進
孫元孫舉進
士考功員外

甥不得仕进。孙：元孙，举进士，考功员外

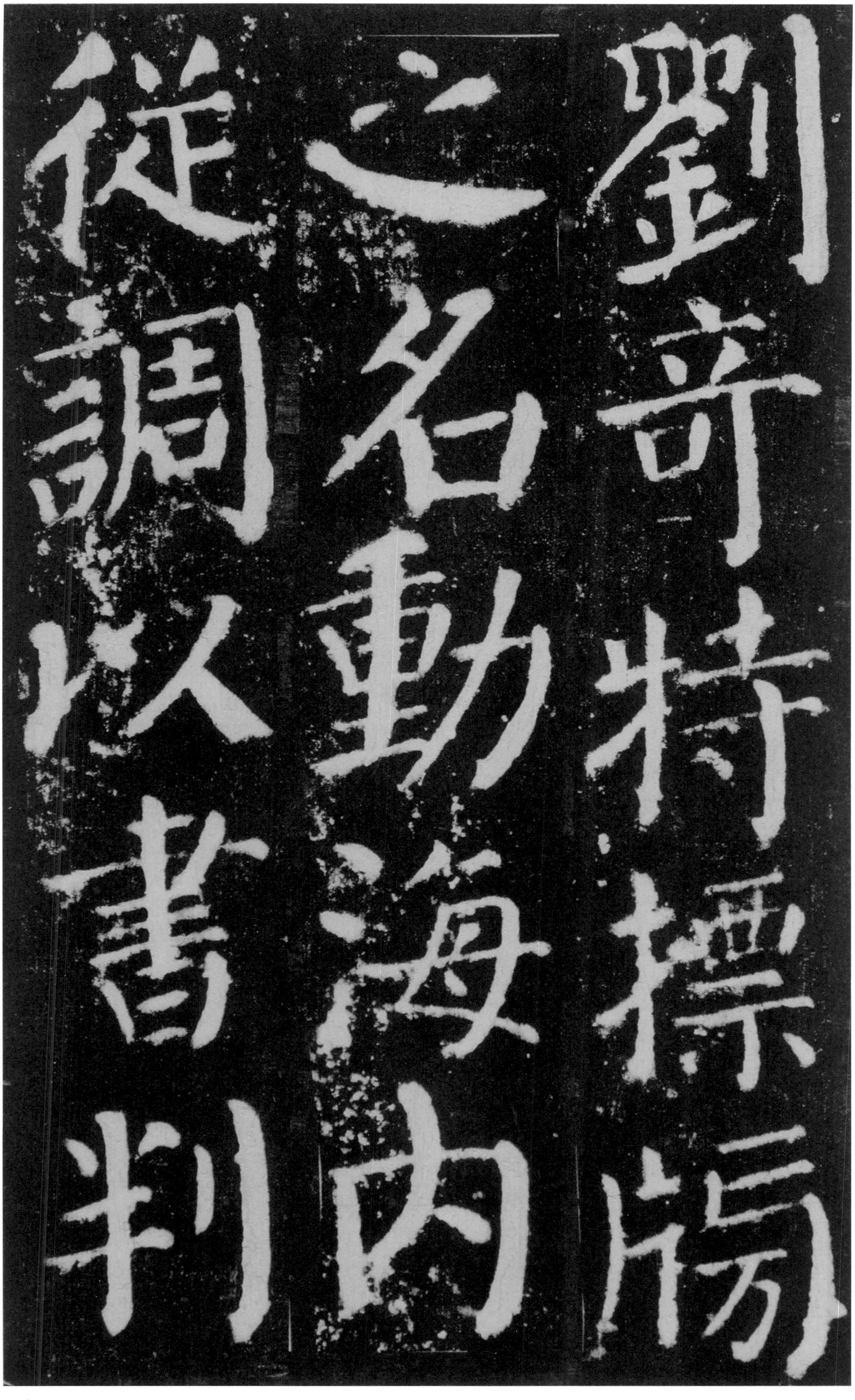
劉奇特標牓
之名動海內
從調以書判

刘奇特标牓之，名动海内。从调以书判

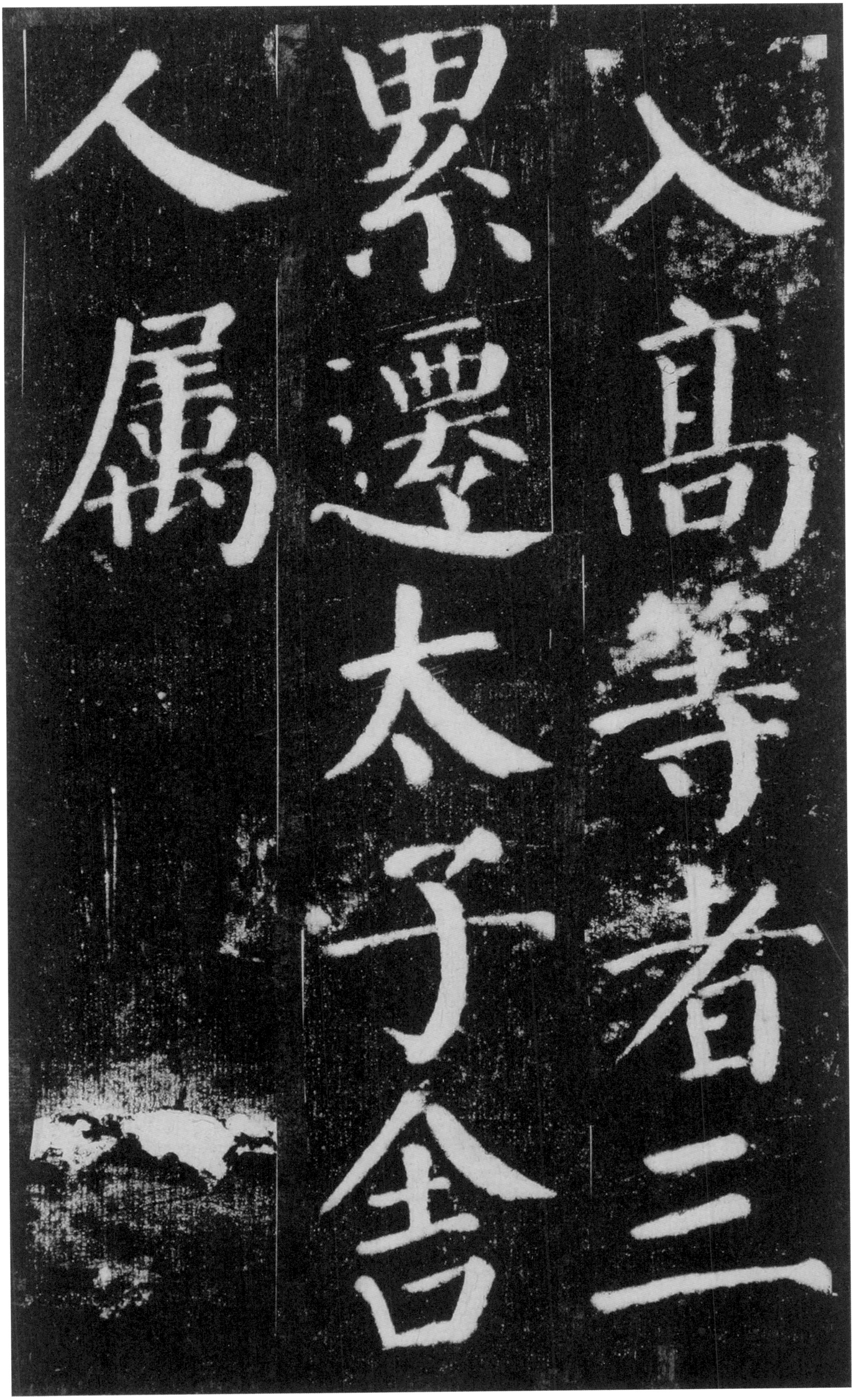

入高等者二，累迁太子舍人。属

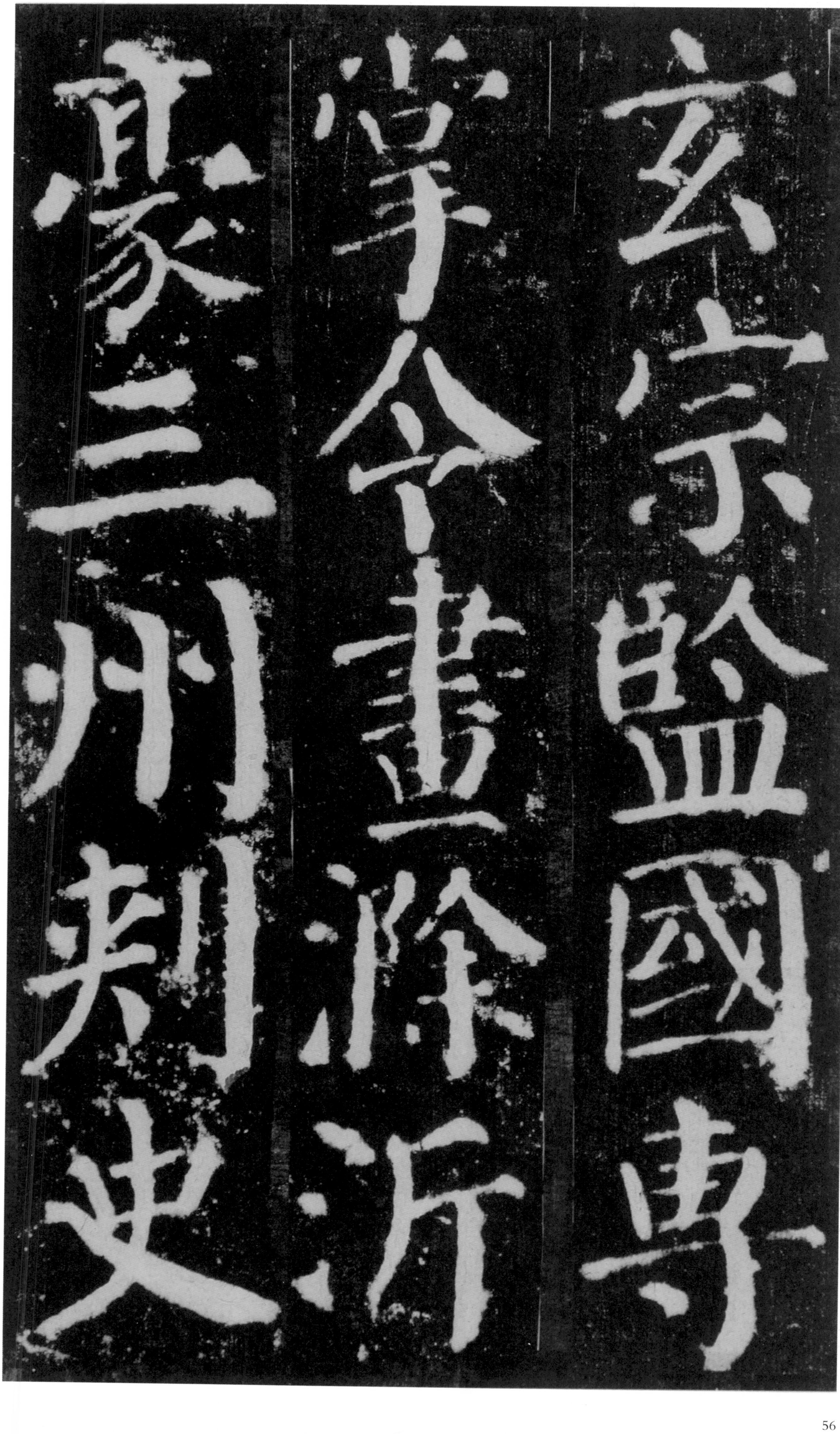

玄宗监国，专掌令画，滁、沂、豪三州刺史，

赠秘书监。惟贞，频以书判入高等，历畿

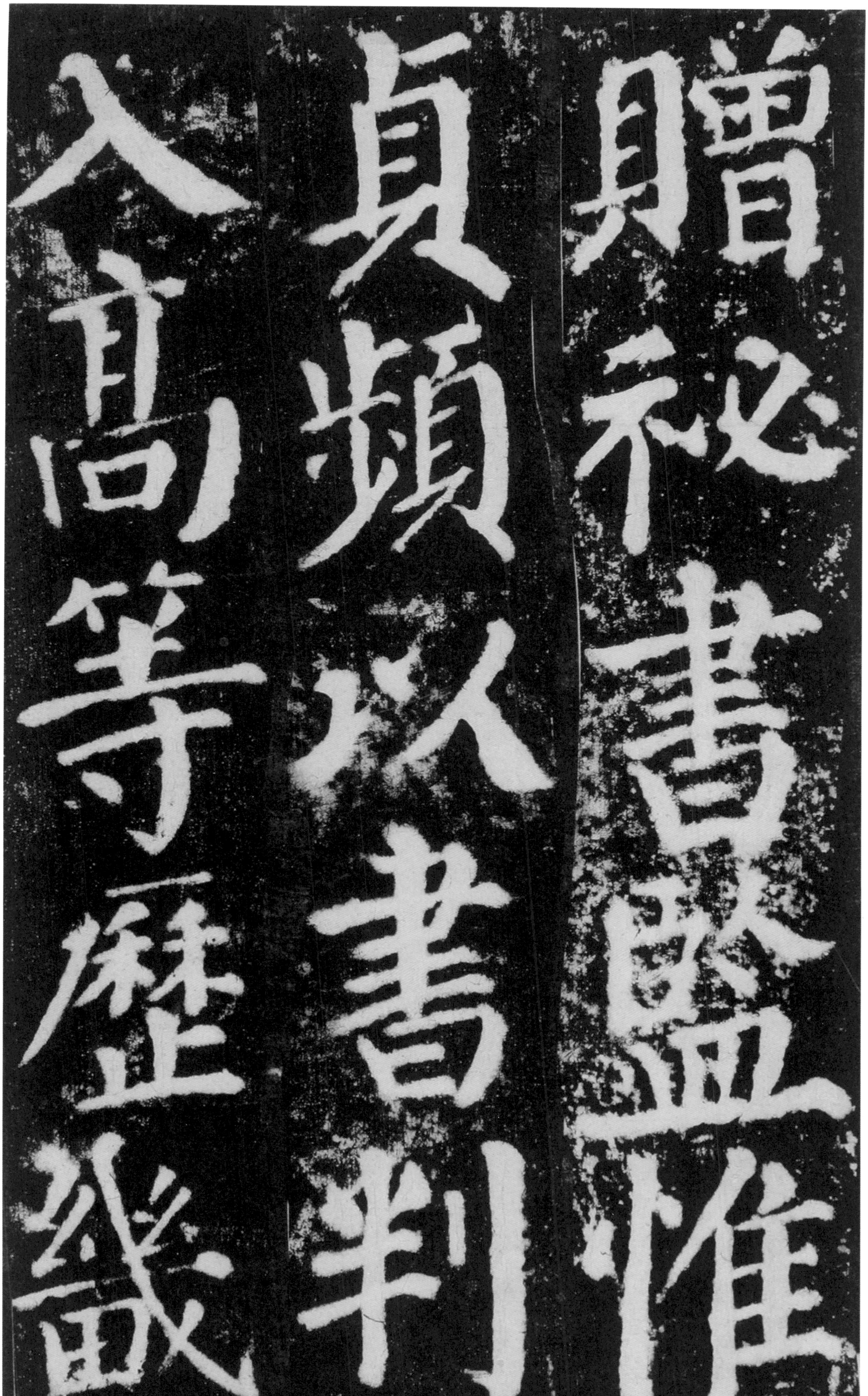
贈秘書監惟
貞頻以書判
入高等歷畿

赤尉丞太子
文學薛王友
贈國子祭酒

赤尉丞、太子文学、薛王友，赠国子祭酒、

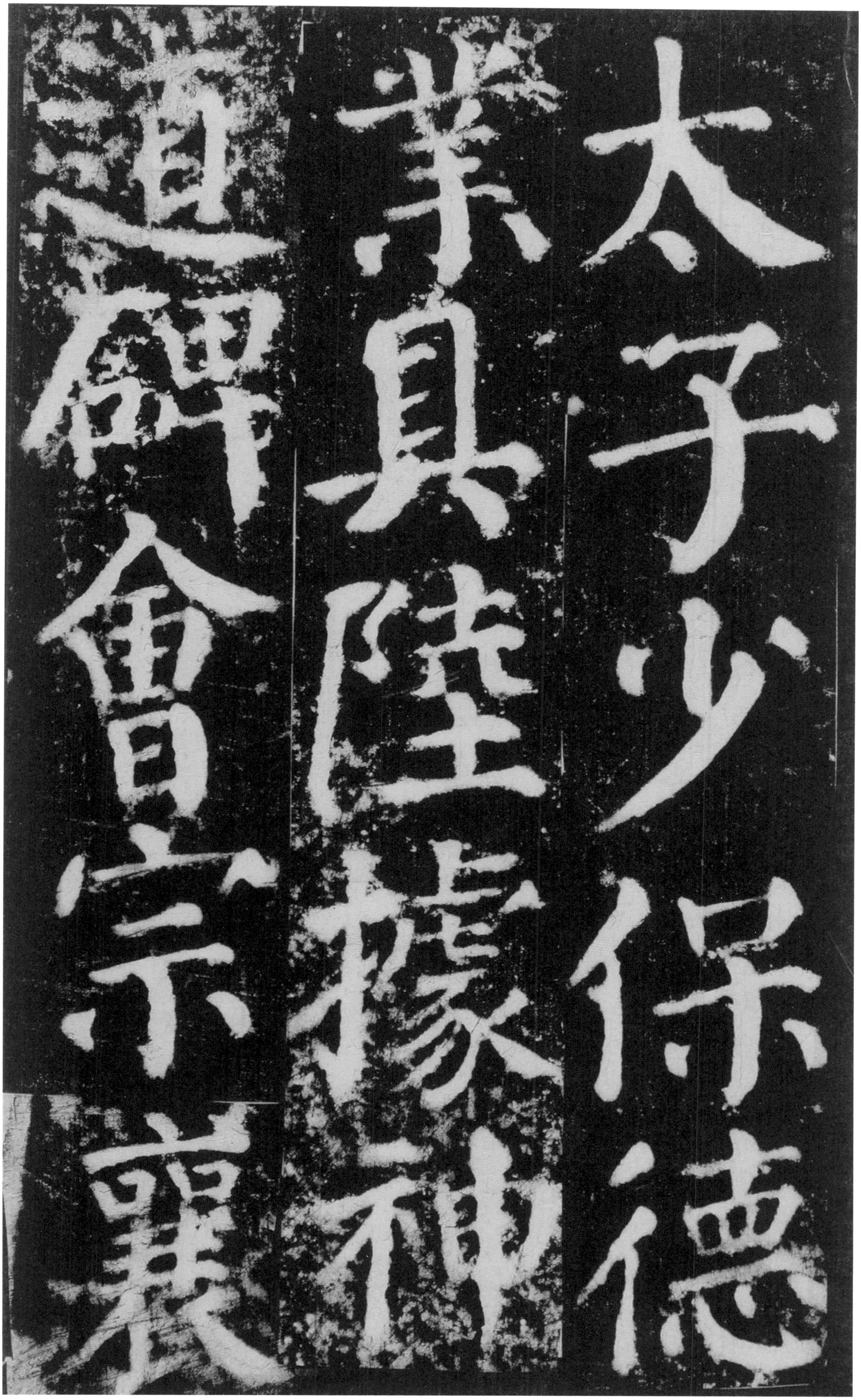
太子少保德
業具陸據神
道碑會宗襄

太子少保，德业具陆据《神道碑》。会宗，襄

州参军。孝友，楚州司马。澄，左卫翊卫。润，

倜傥，涪城尉。曾孙：春卿，工词翰，有风义，

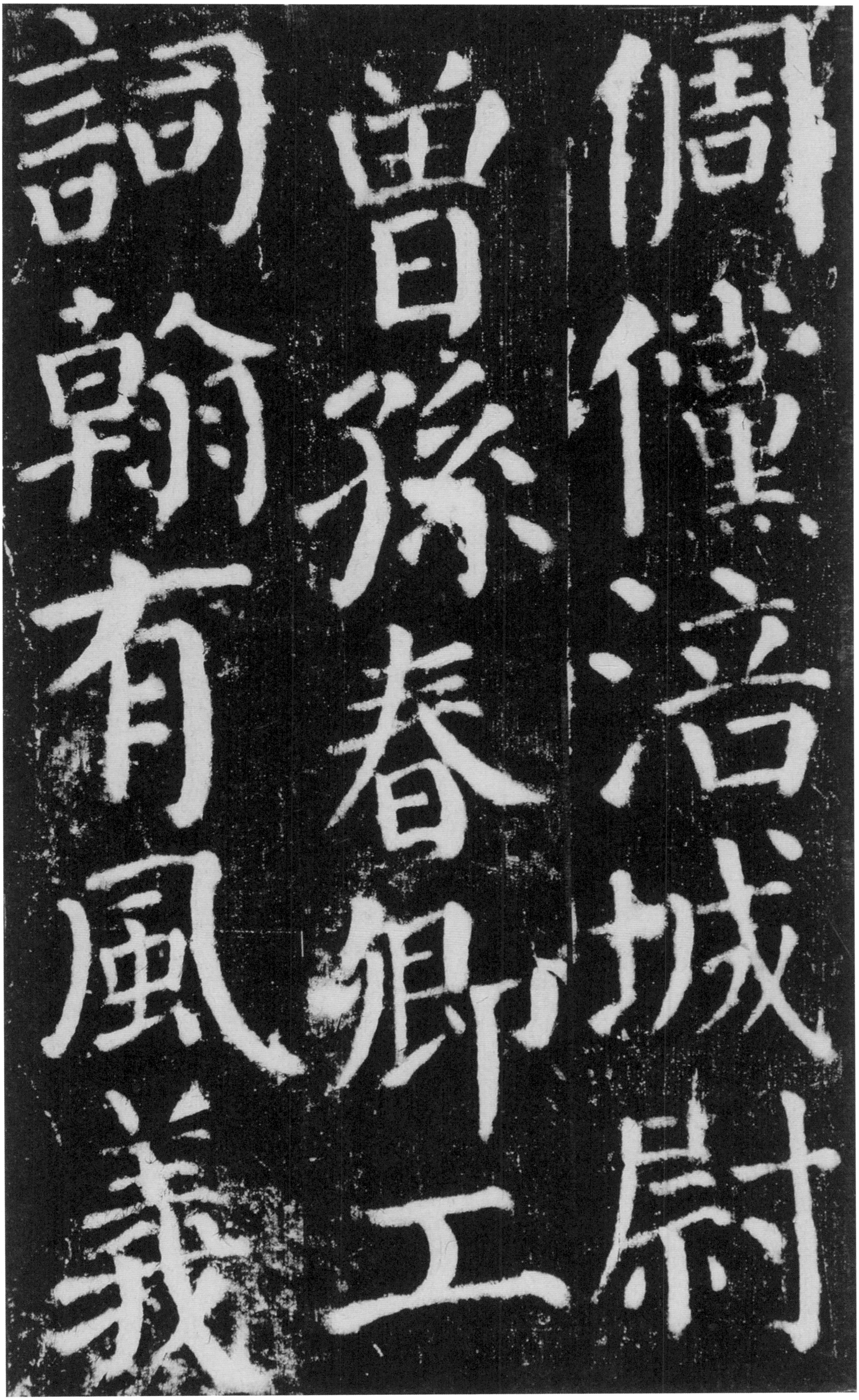

明经拔萃，犀浦、蜀二县尉。故相国苏颋

举茂才，又为张敬忠剑南节度判官，偃

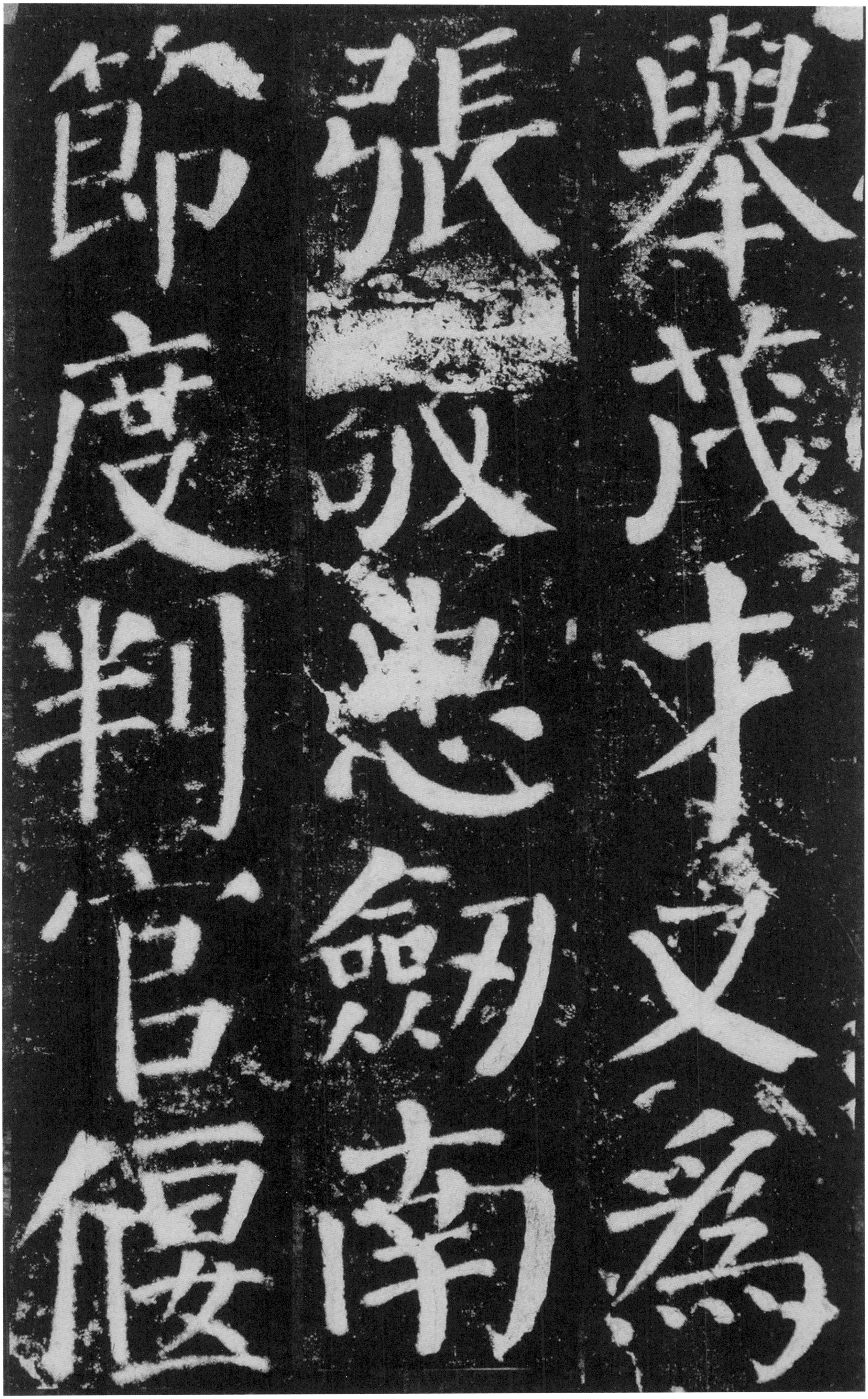

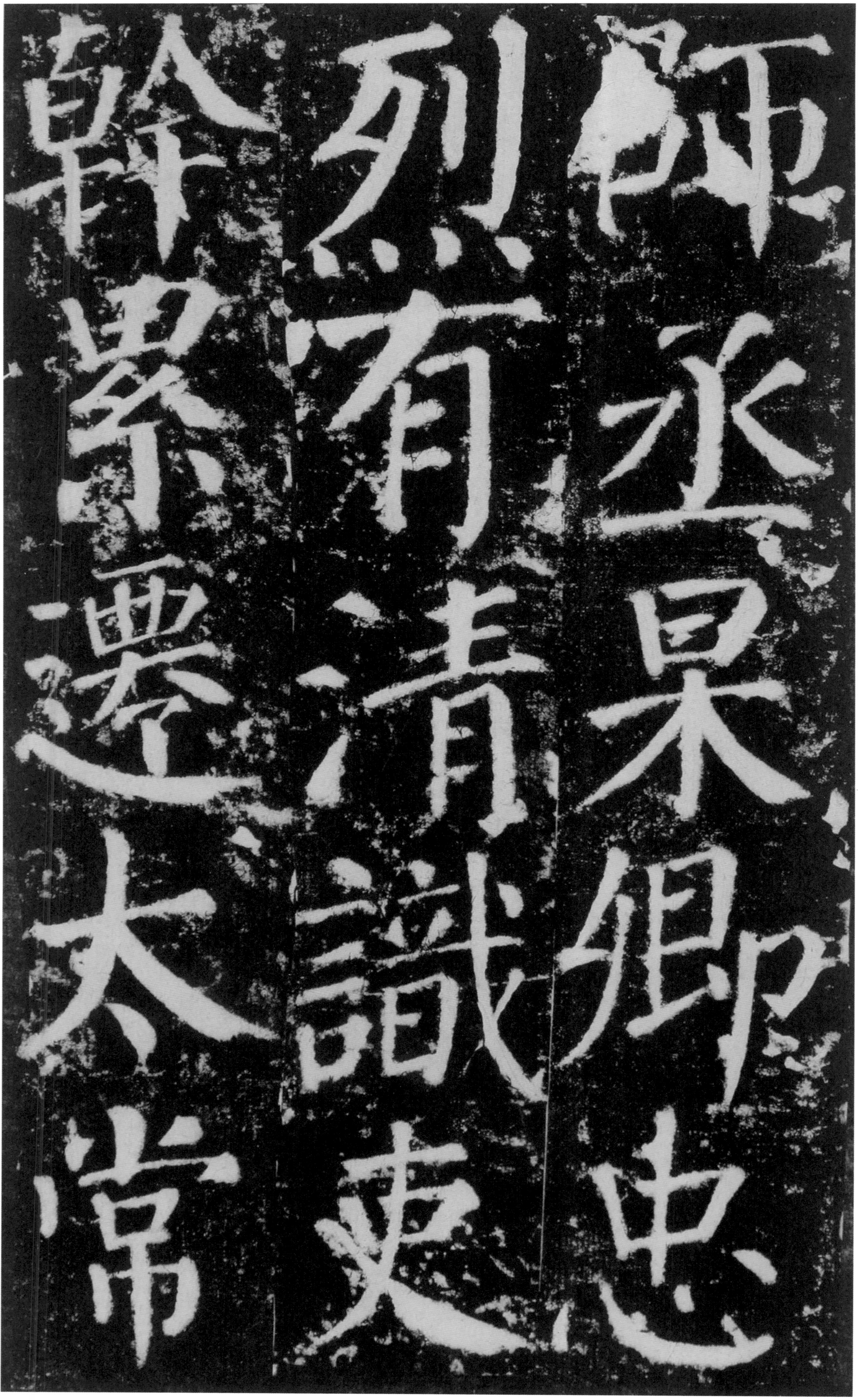

师丞。杲卿，忠烈有清识吏干，累迁太常

丞，摄常山太守，杀逆贼安禄山将李钦

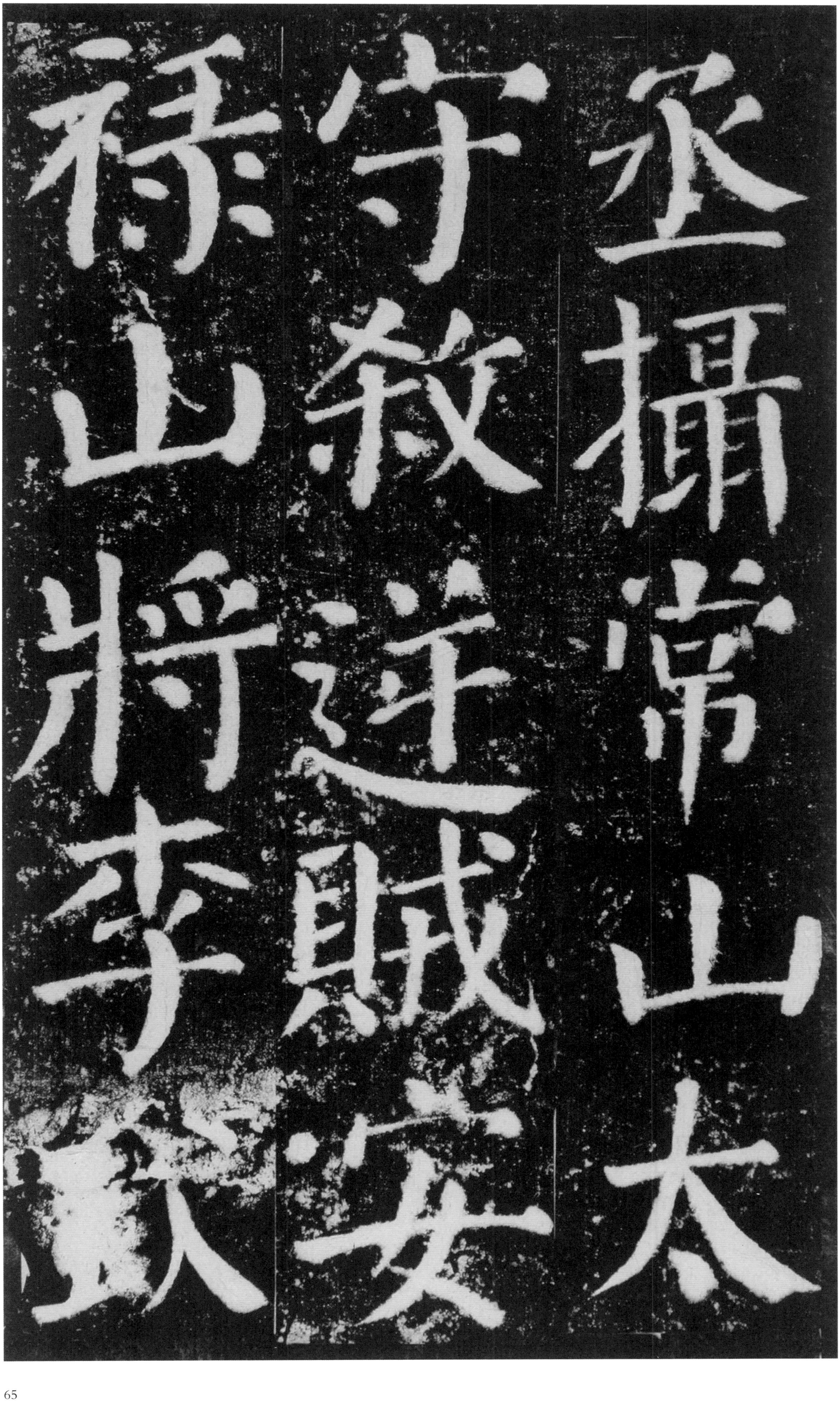
丞攝常山太
守殺逆賊安
祿山將李欽

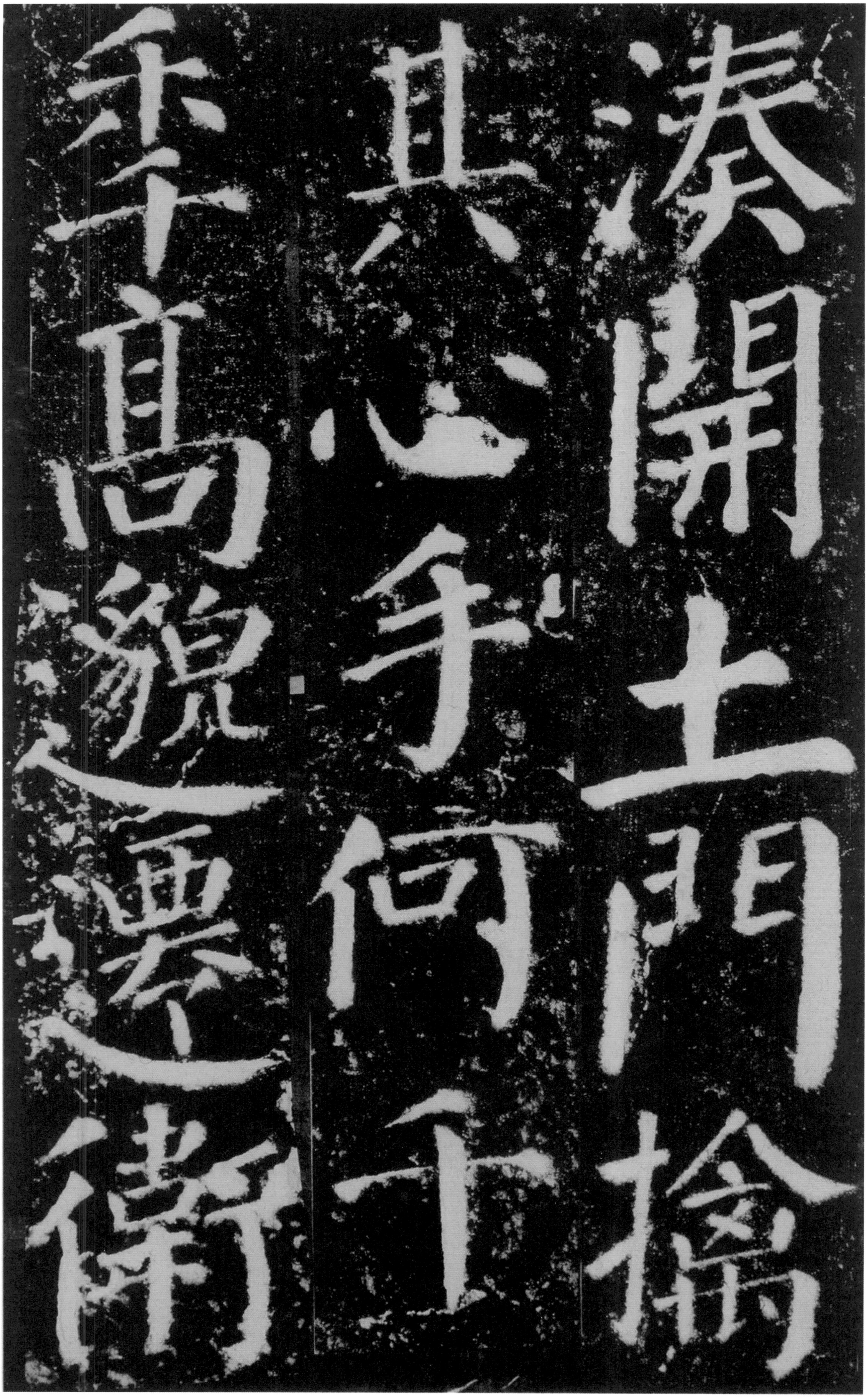

凑，开土门，擒其心手何千年、高邈，迁卫

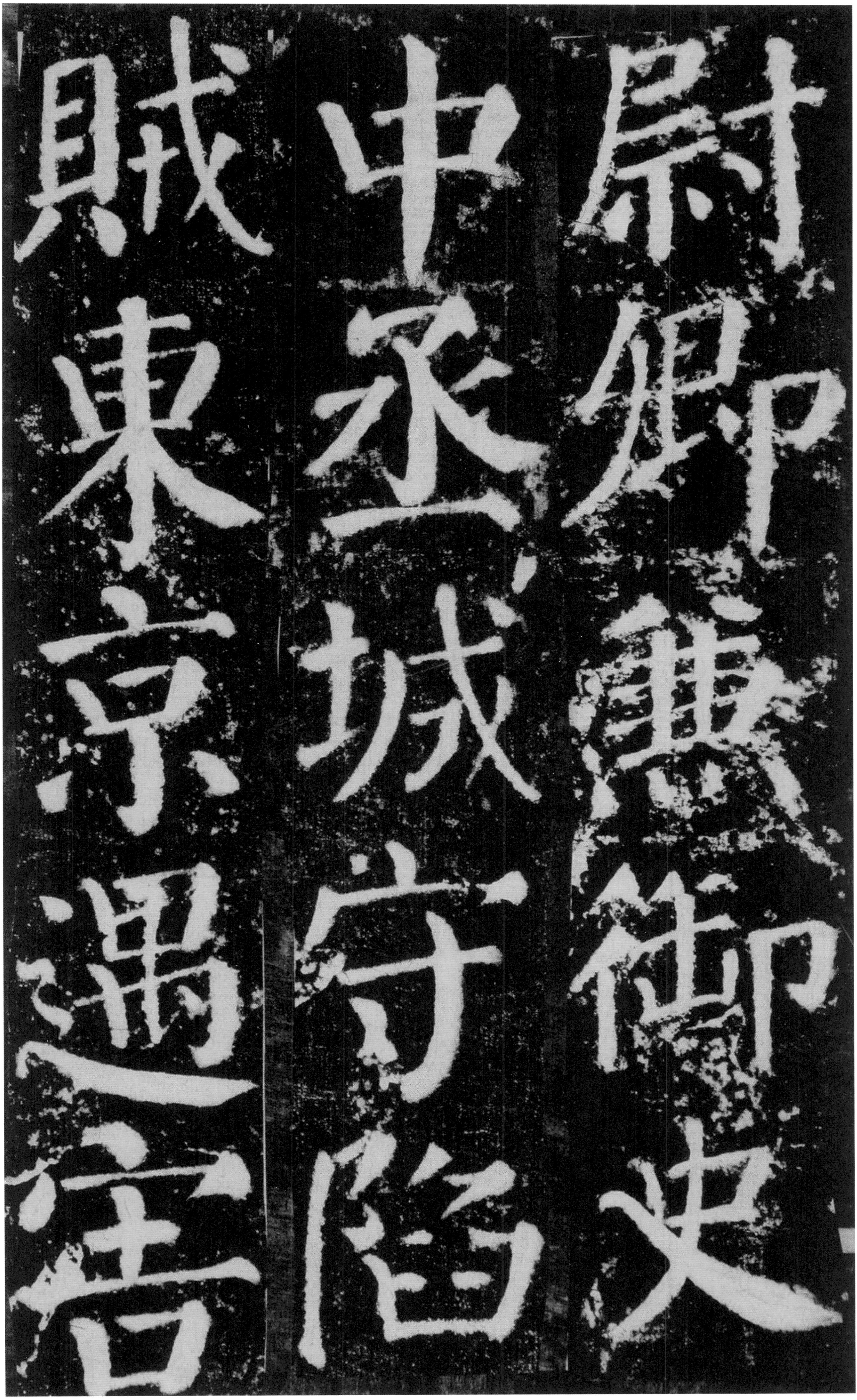

尉卿，兼御史中丞。城守陷贼，东京遇害，

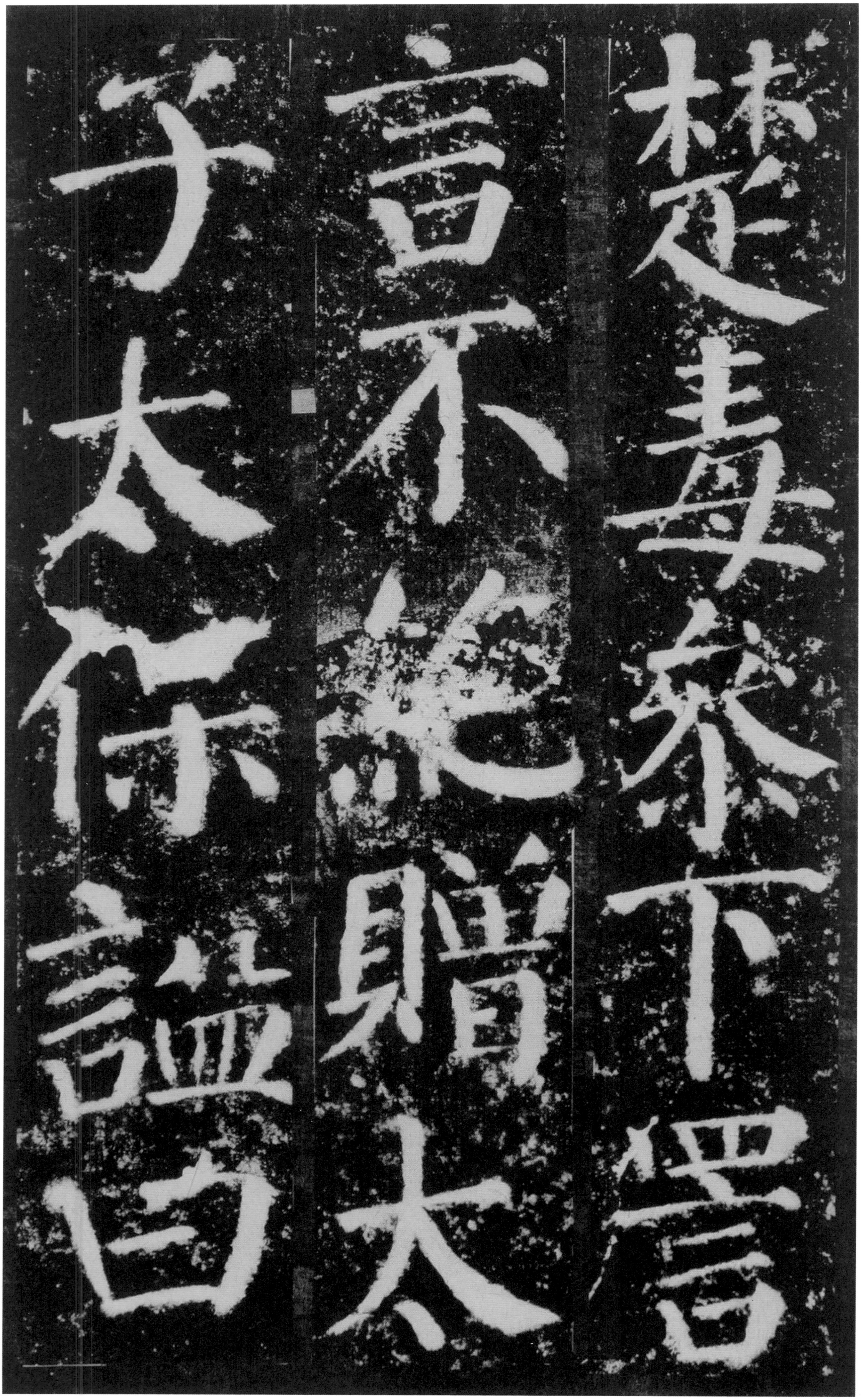

楚毒参下，詈言不绝。赠太子太保，谥曰

忠。曜卿，工诗善草隶，十六以词学直崇

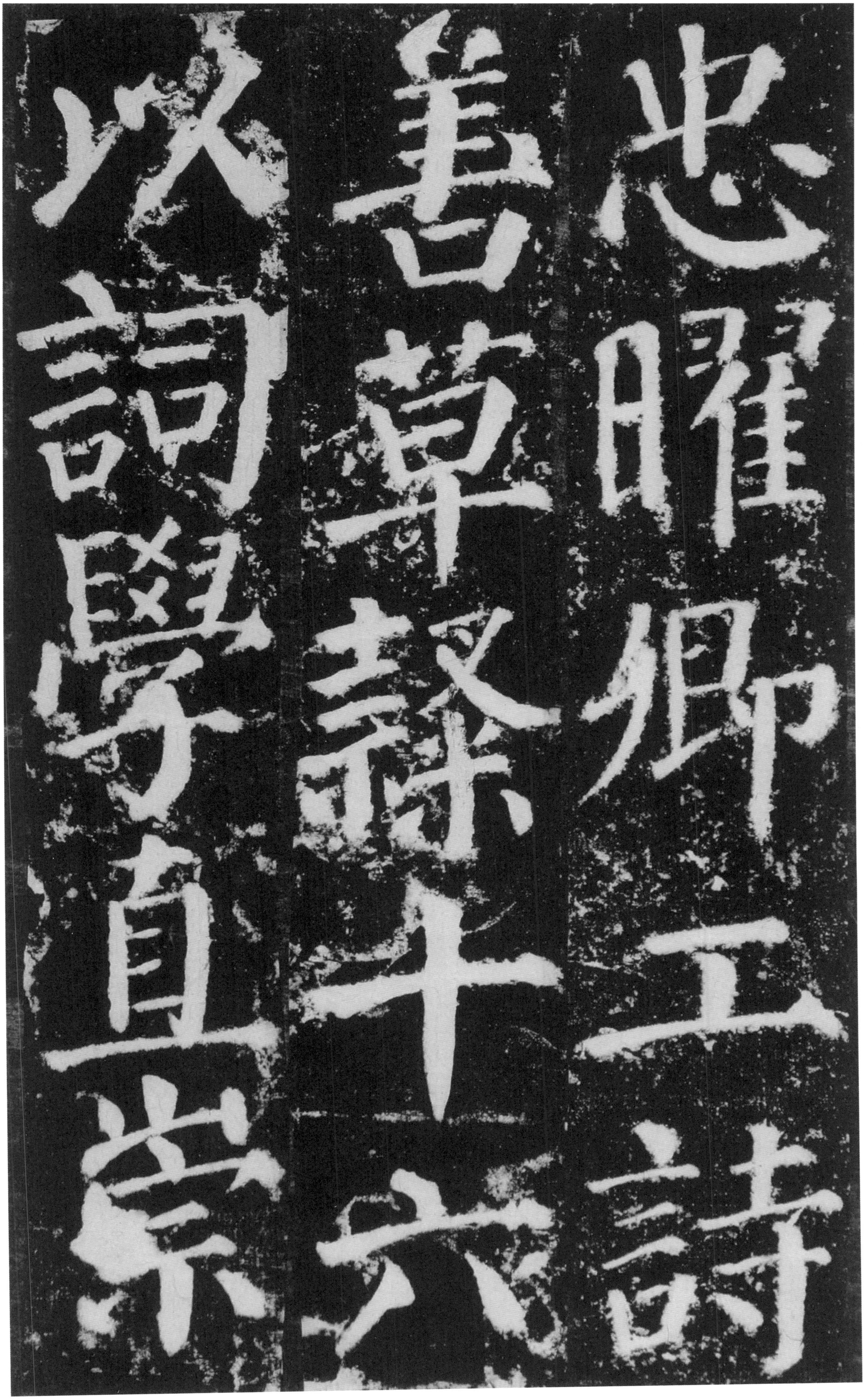

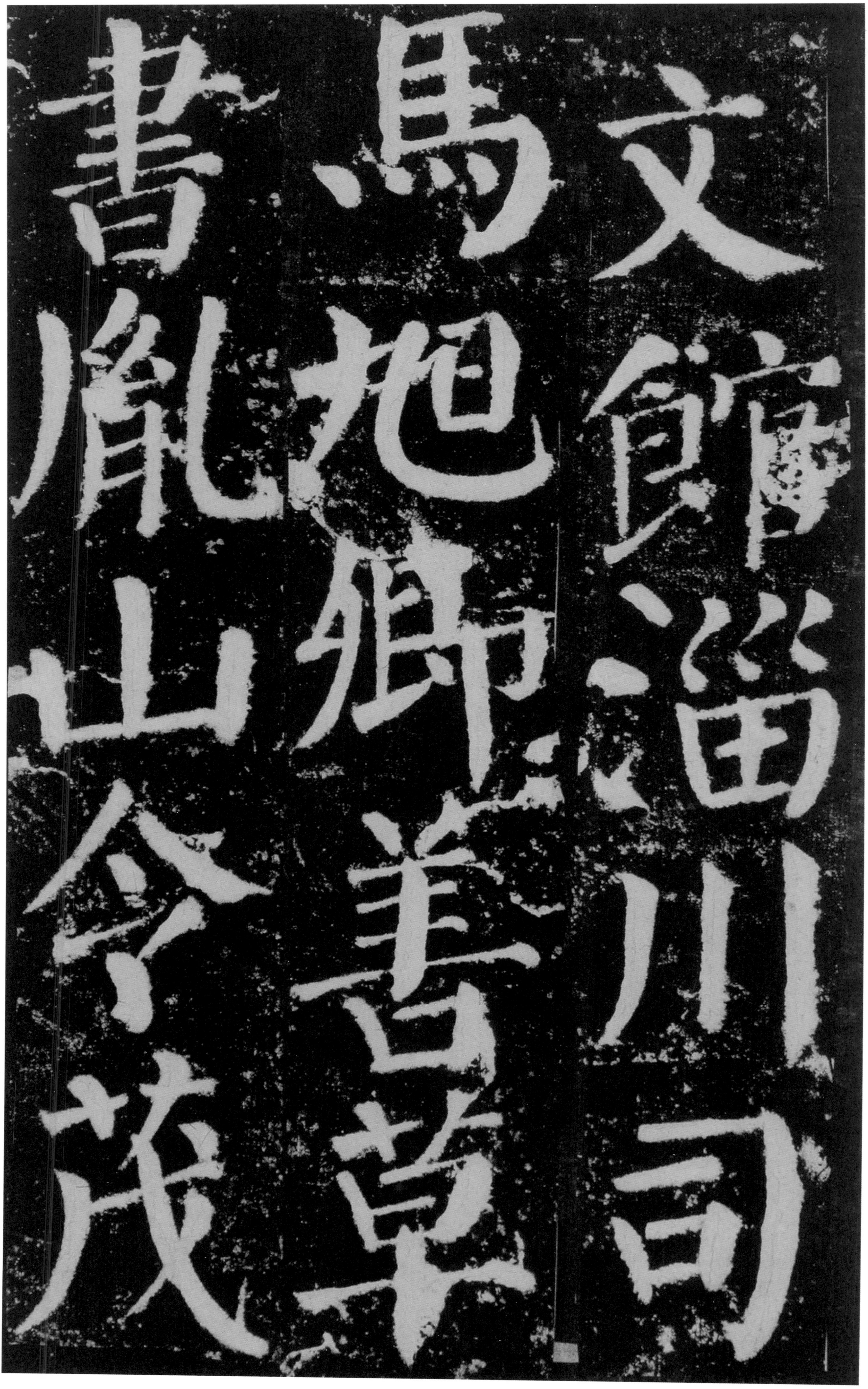
文館淄川司
馬旭卿善草
書亂山令茂

文馆，淄川司马。旭卿，善草书，胤山令。茂

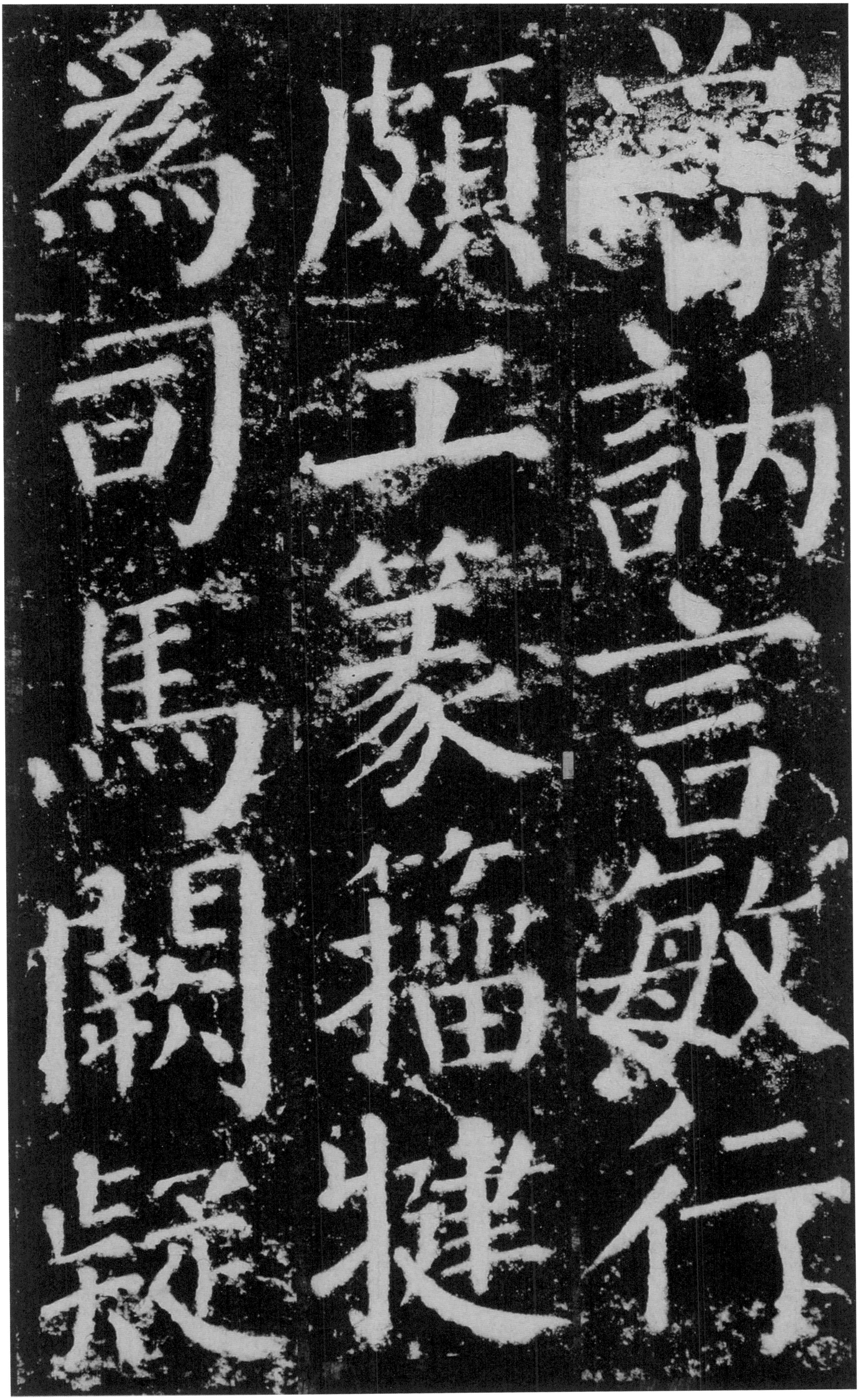

曾，讷言敏行，颇工篆籀，犍为司马。阙疑，

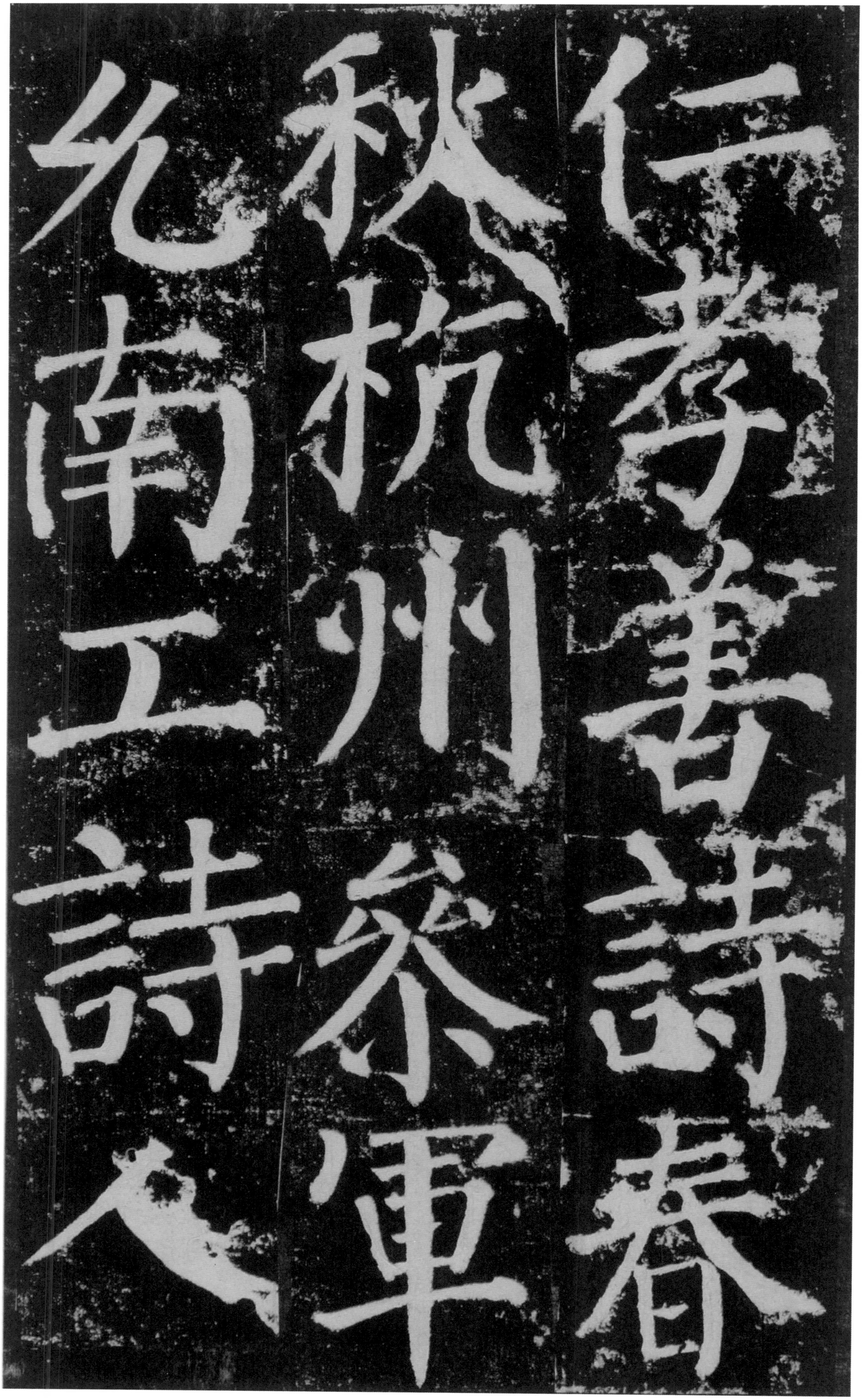

仁孝，善《诗》、《春秋》，杭州参军。允南，工诗，人

皆讽诵之。善草隶，书判频入等第，历左

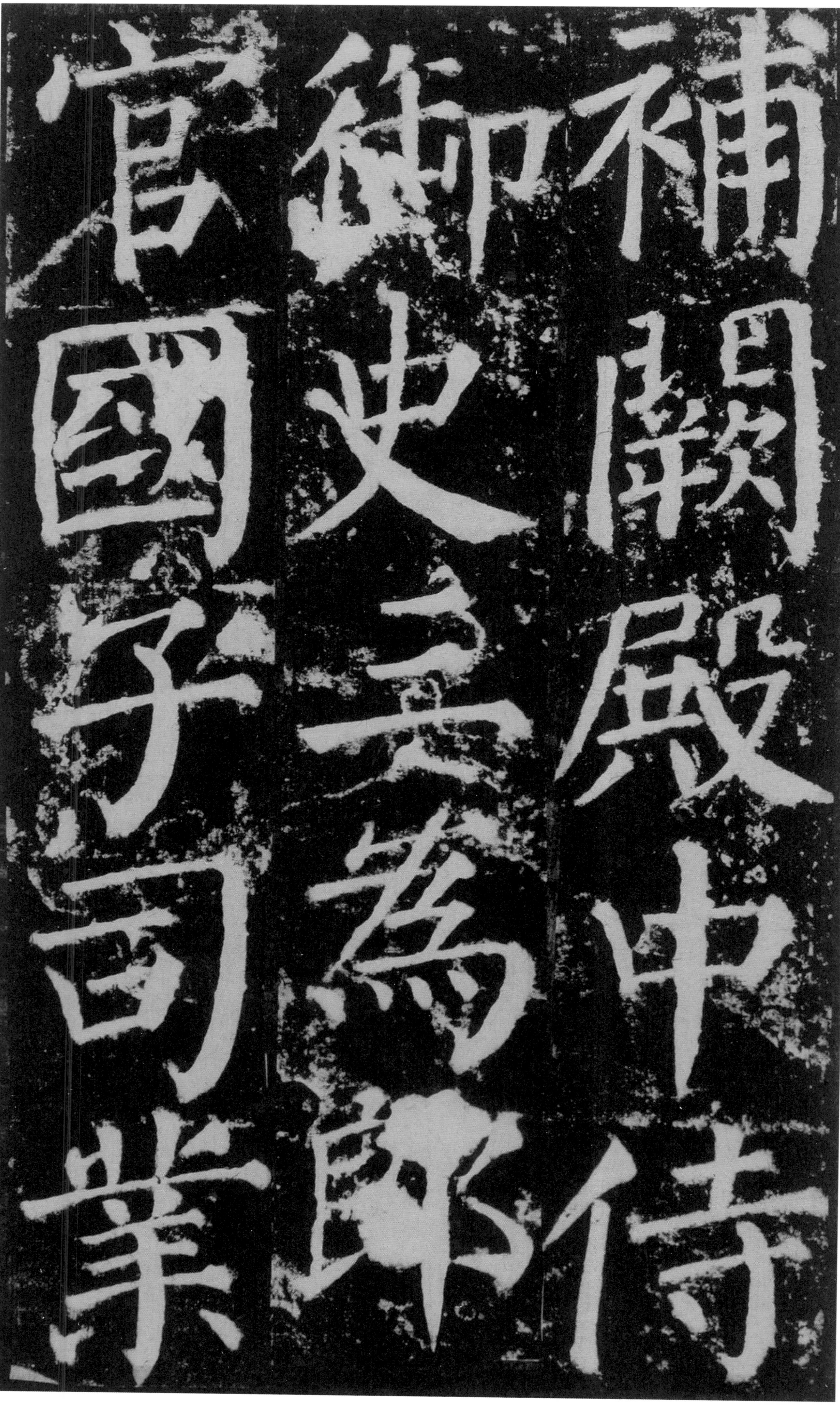
補闕殿中侍
御史三為郎
官國子司業

补阙、殿中侍御史，三为郎官，国子司业，

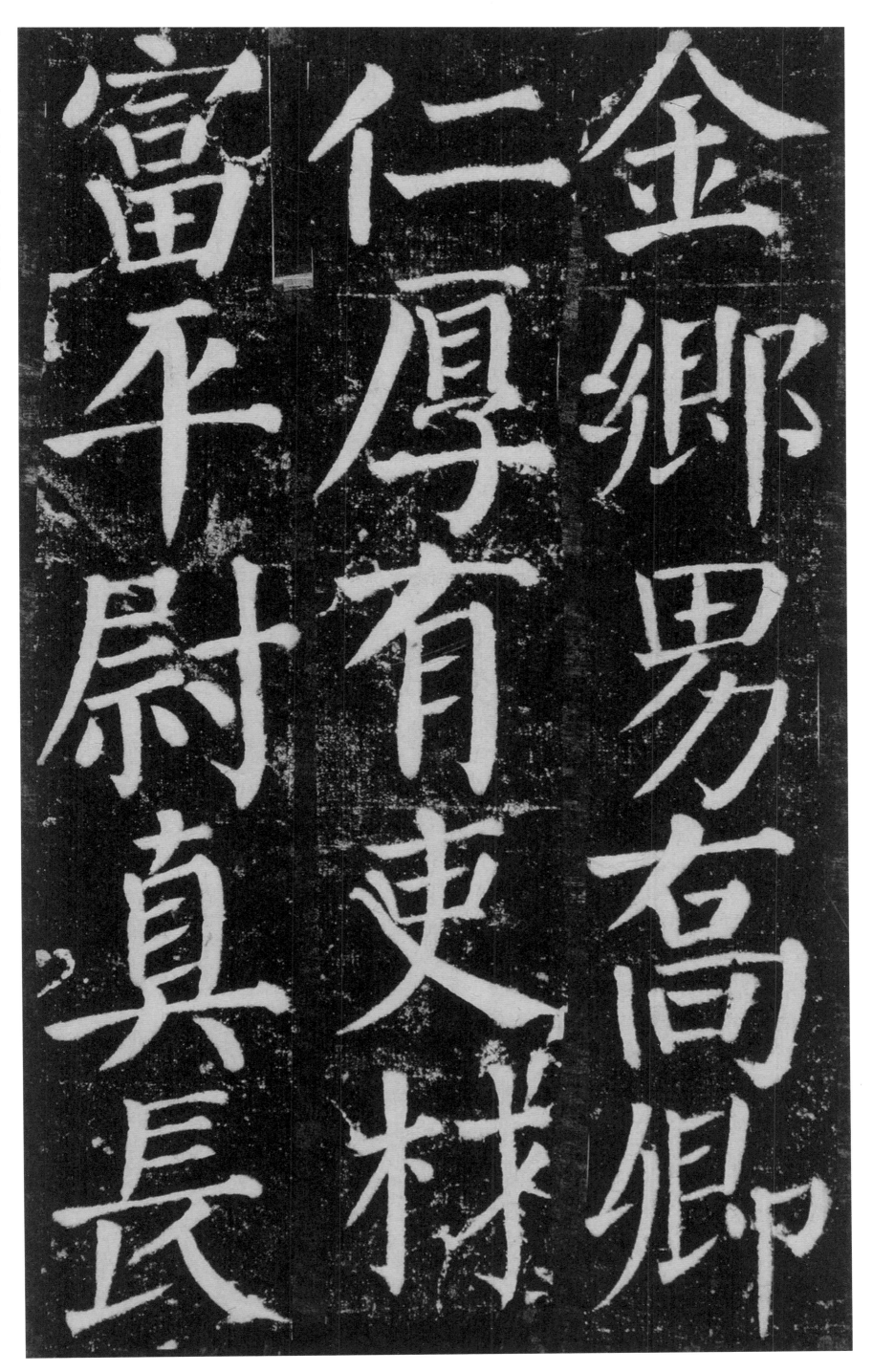

金鄉男喬卿
仁厚有吏材
富平尉真長

金乡男。乔卿，仁厚有吏材，富平尉。真长，

耿介，举明经。幼舆，敦雅有醖藉，通班《汉

书》，左清道率府兵曹。真卿，举进士，校书

郎舉文詞秀
逸醴泉尉黜
陟使王鉷以

郎。举文词秀逸，醴泉尉，黜陟使王鉷，以

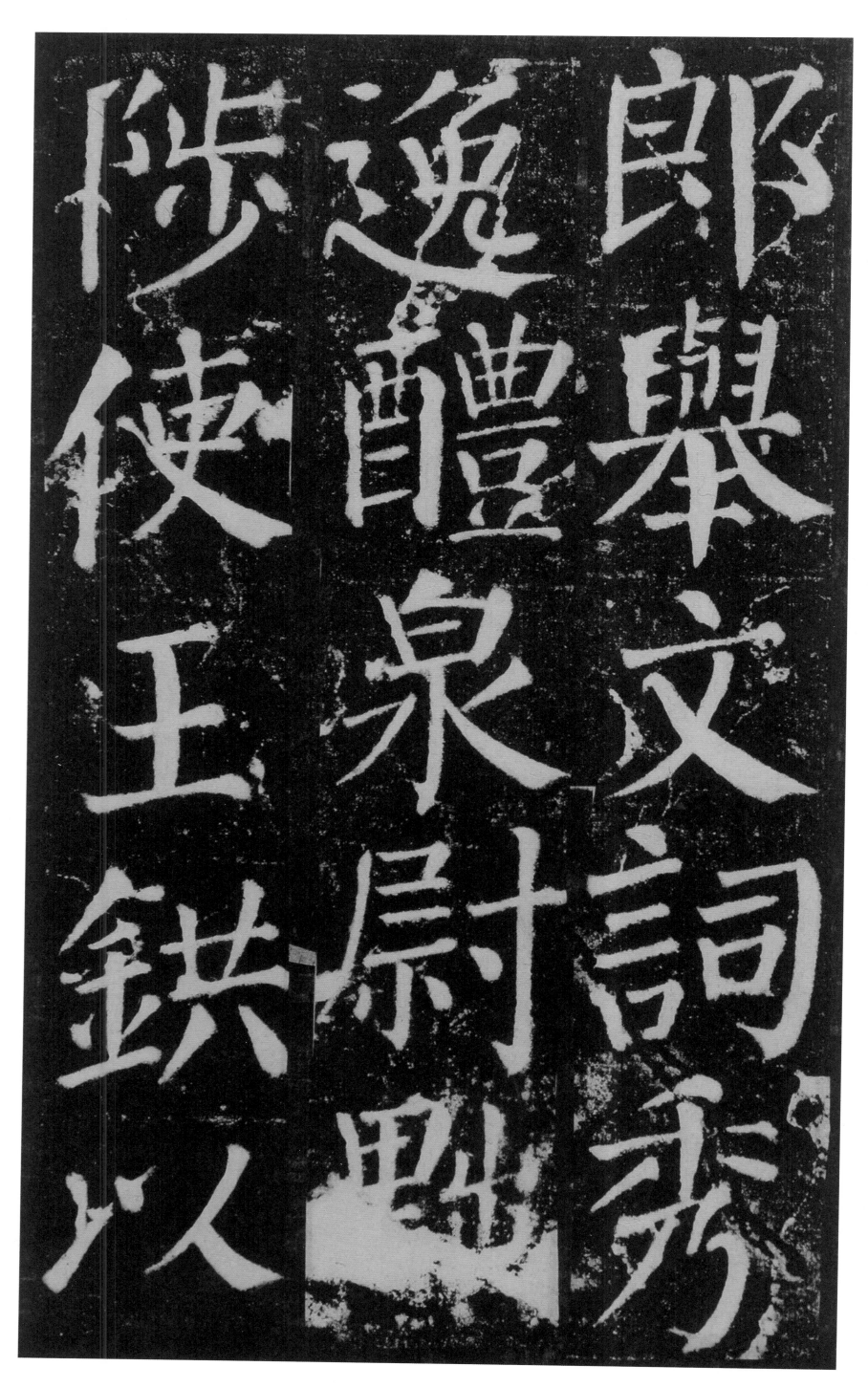

清白名闻。七为宪官，九为省官，荐为节

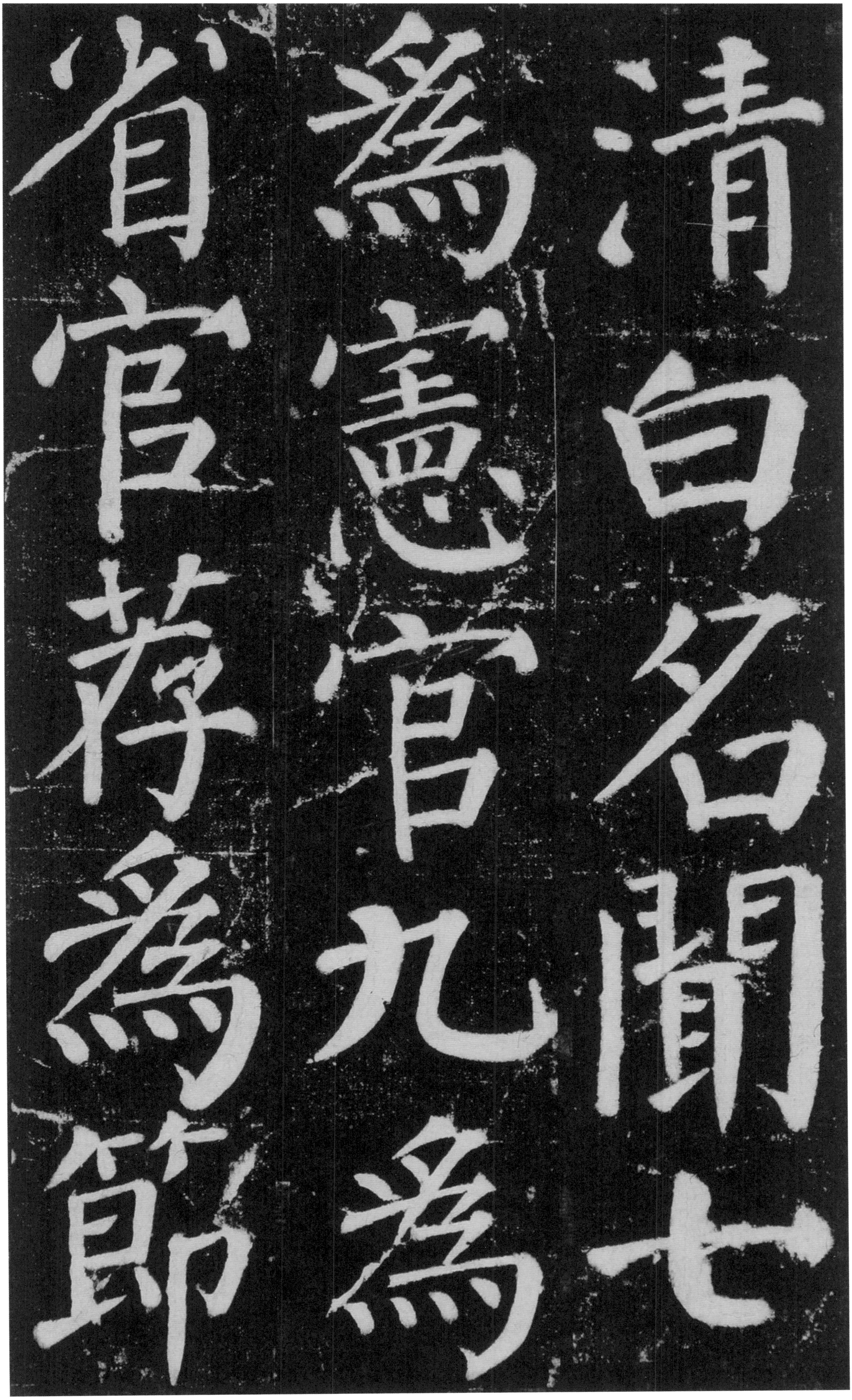

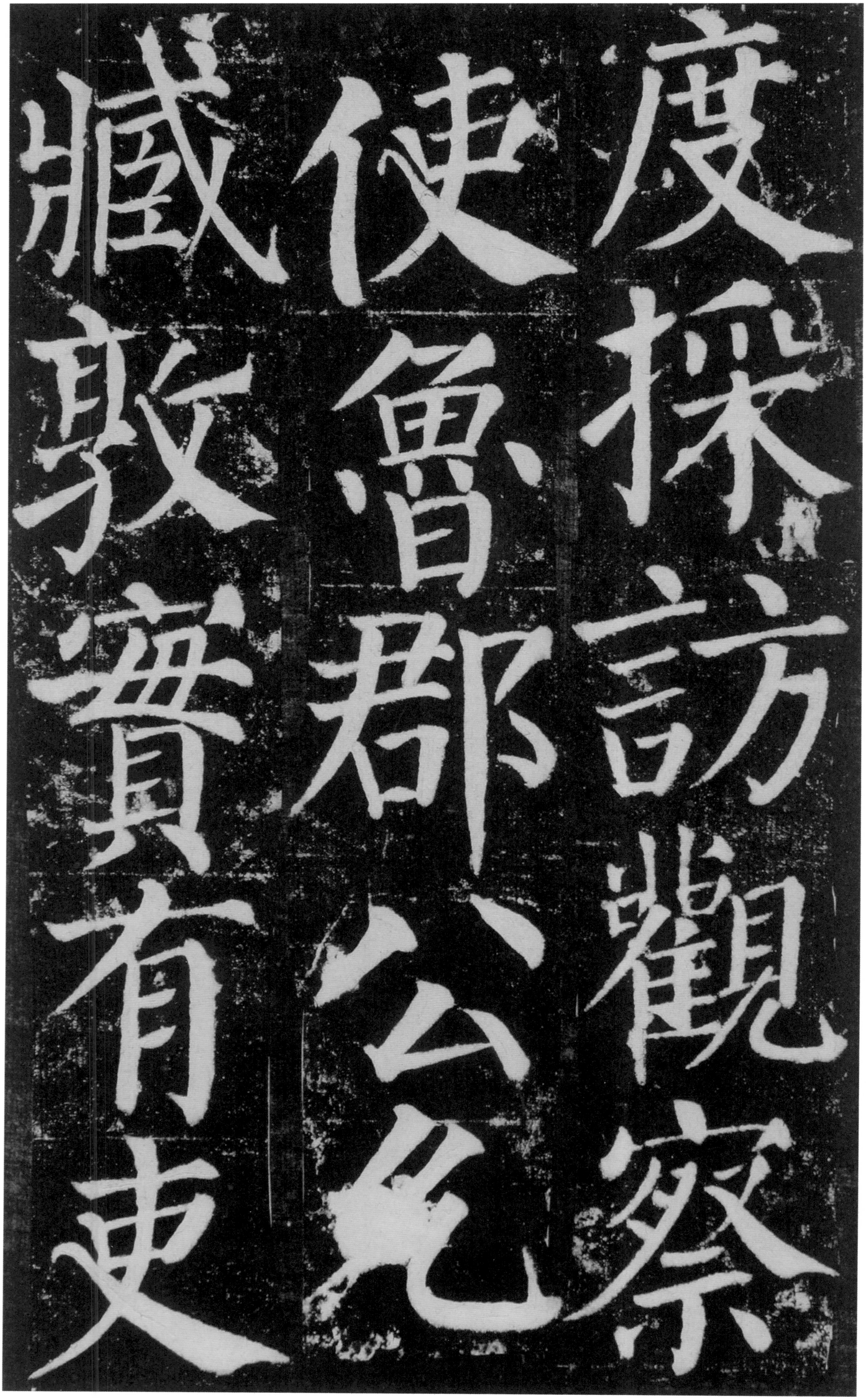

度采访观察使，鲁郡公。允臧，敦实有吏

能，举国令，宰延昌。四为御史，充太尉郭

子仪判官、江陵少尹、荆南行军司马。长

卿、晋卿、郤卿、充国、质，多无圀，早世。名卿、

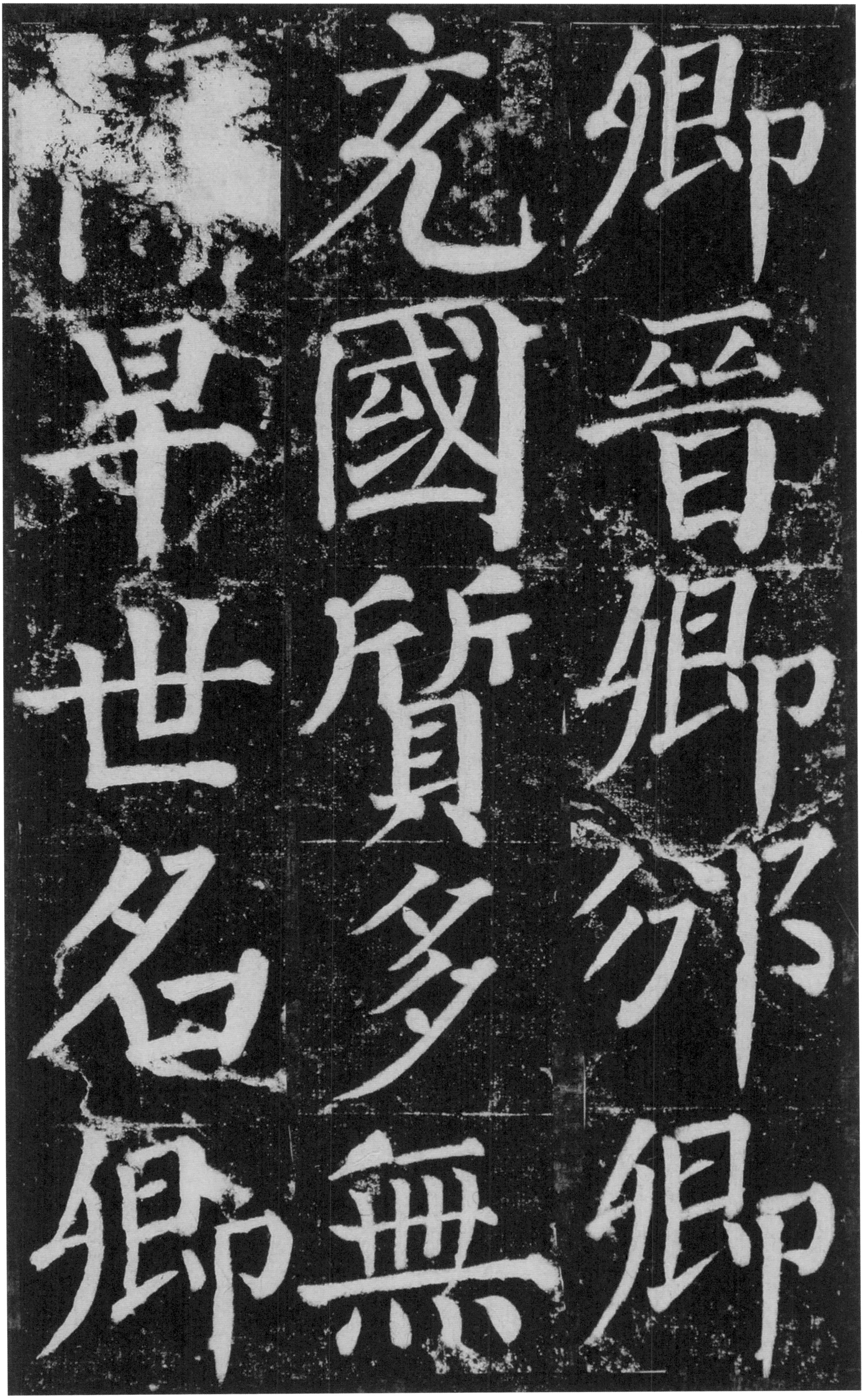

倜、佶、伋、伦，并为武官。玄孙：纮，通义尉，没

于蠻泉明孝
義有吏道父
開土門佐其

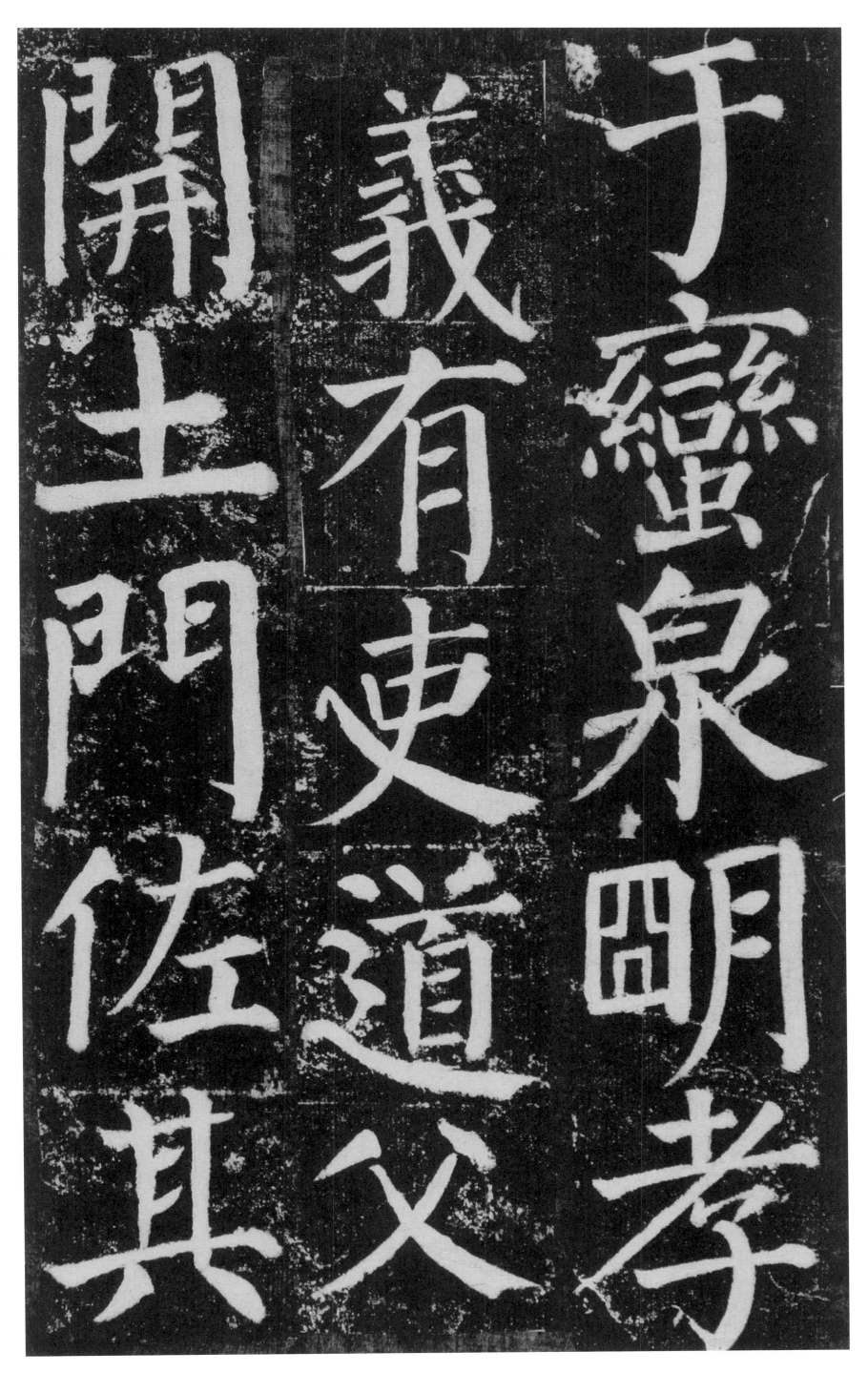

于蛮。泉明，孝义有吏道，父开土门佐其

谋，彭州司马。威明，邛州司马。季明、子幹、

沛、诩、颇、泉明男诞，及君外曾孙沈盈、卢

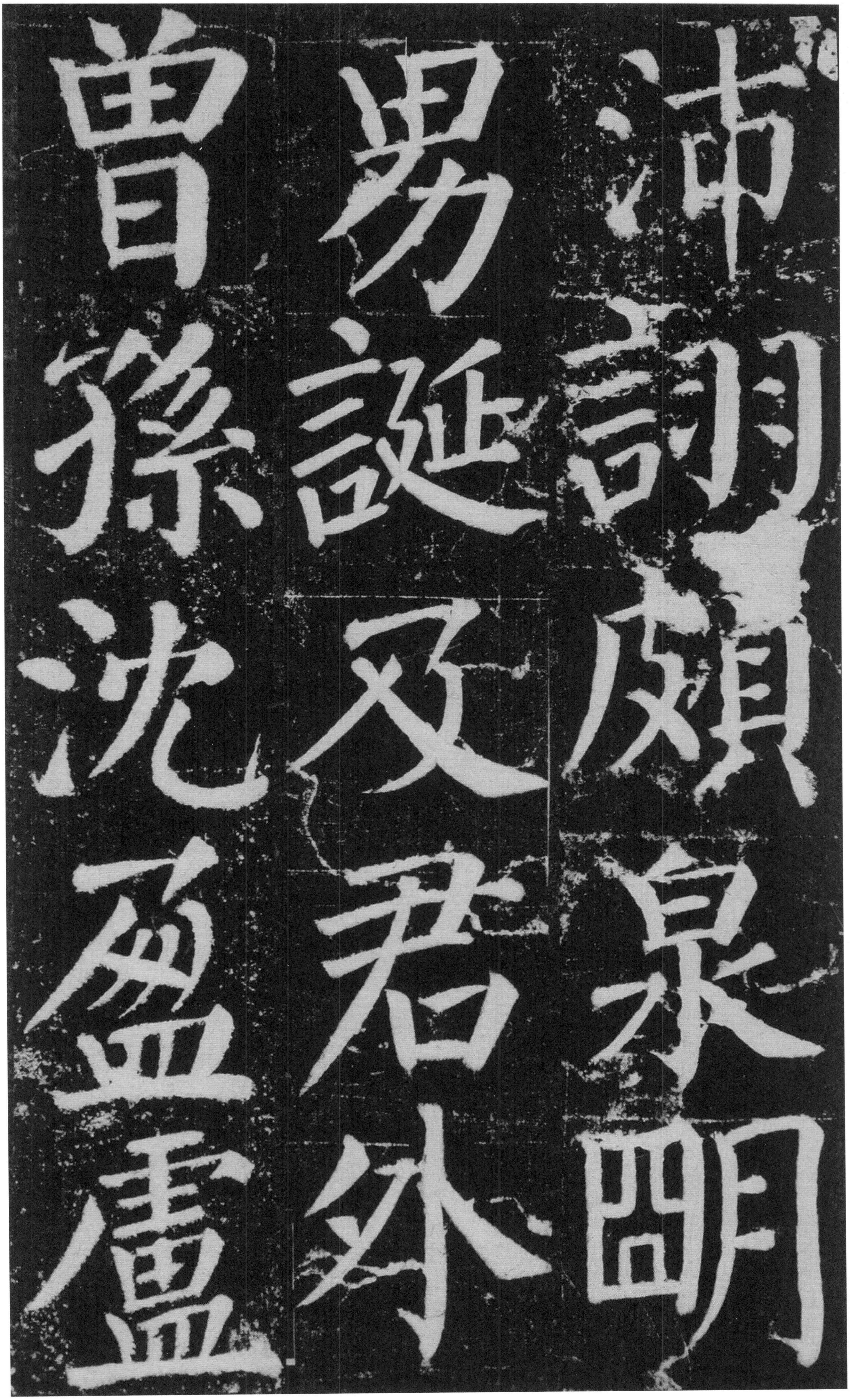

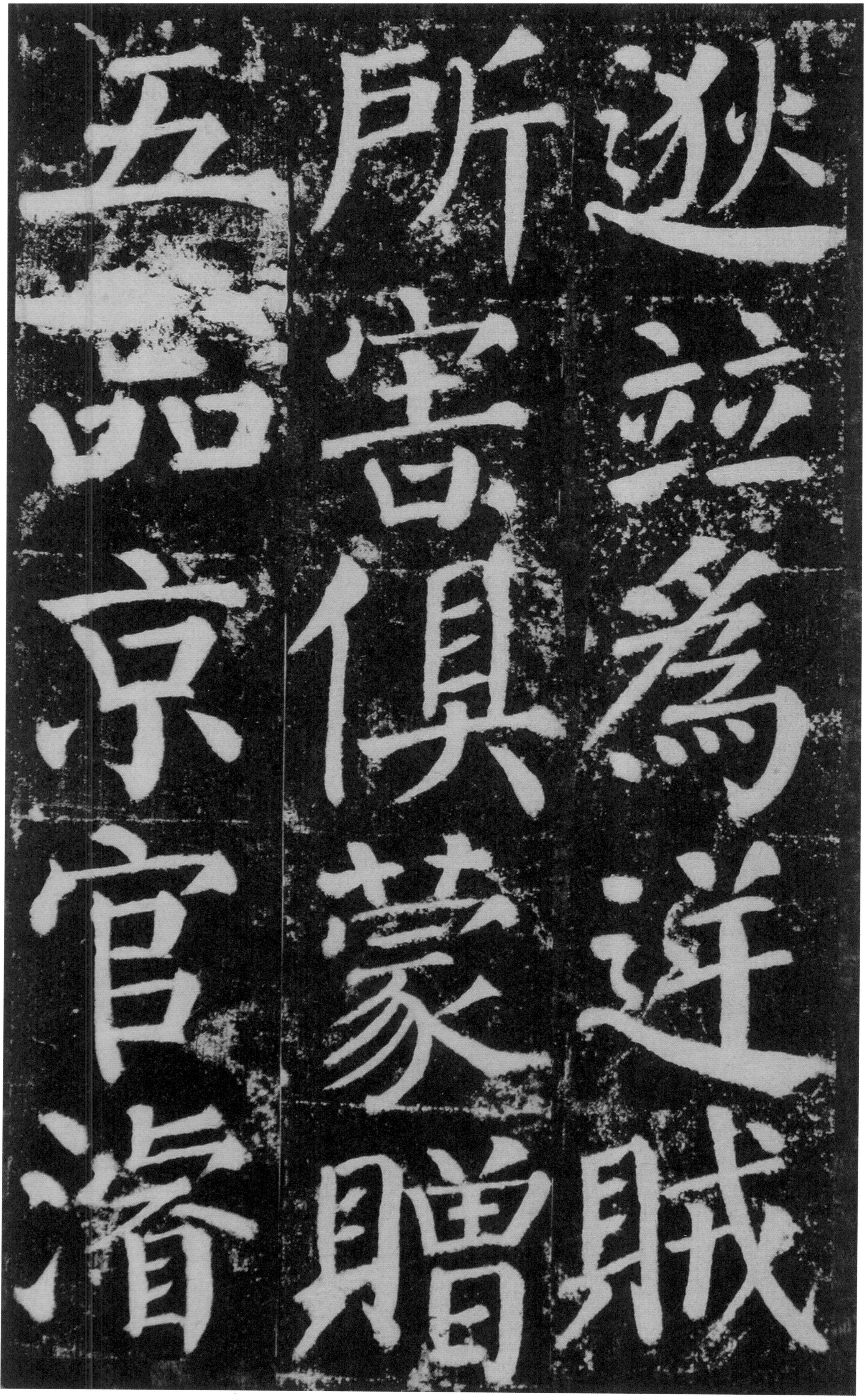

逖，并为逆贼所害，俱蒙赠五品京官。濬，

好属文。翘、华、正、頲，并早夭。颎，好五言，校

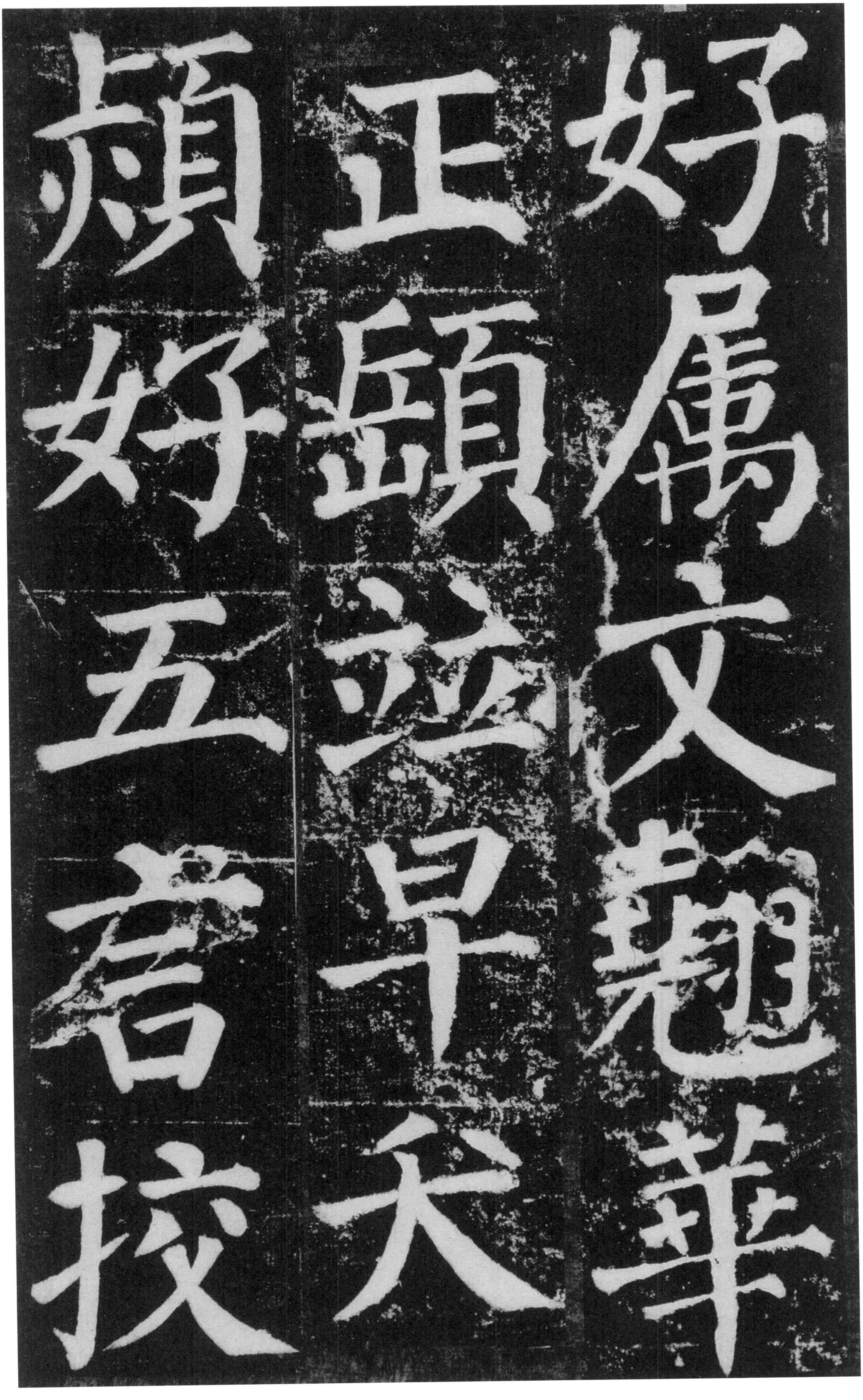

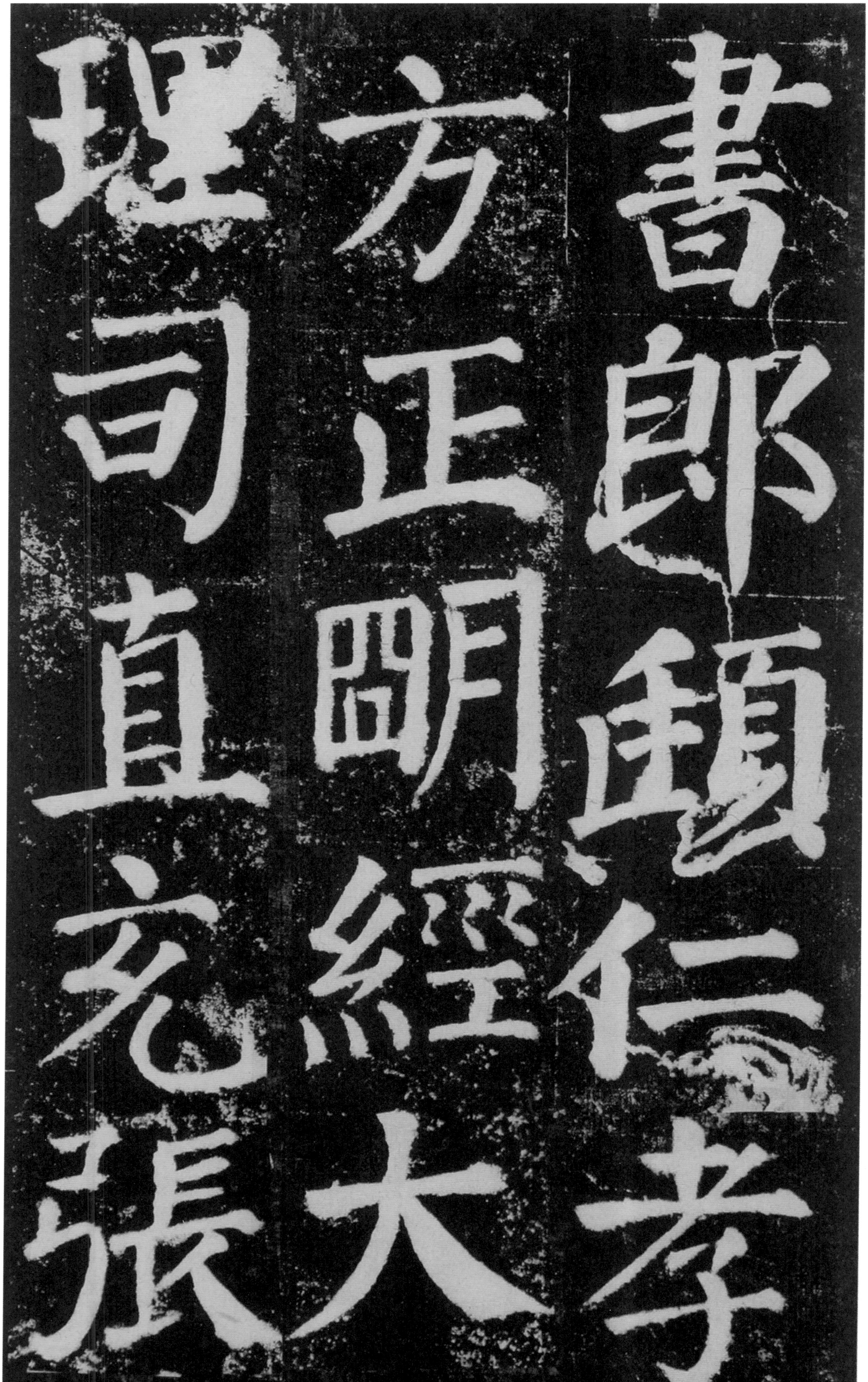

书郎。颋，仁孝方正，明经，大理司直，充张

万顷岭南营田判官。𫖮，凤翔参军。𬱟，通

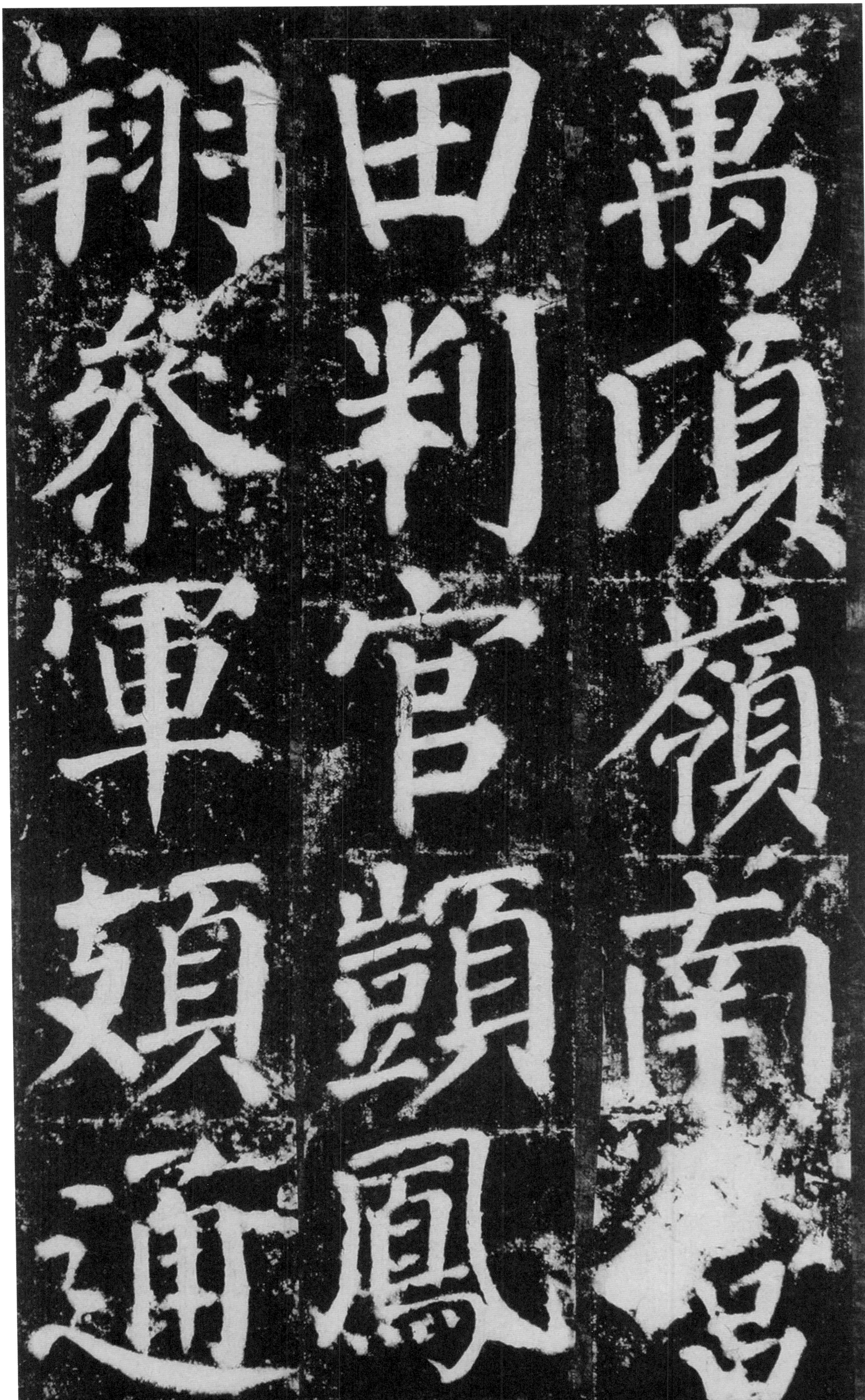

悟，颇善隶书，太子洗马、郑王府司马。并

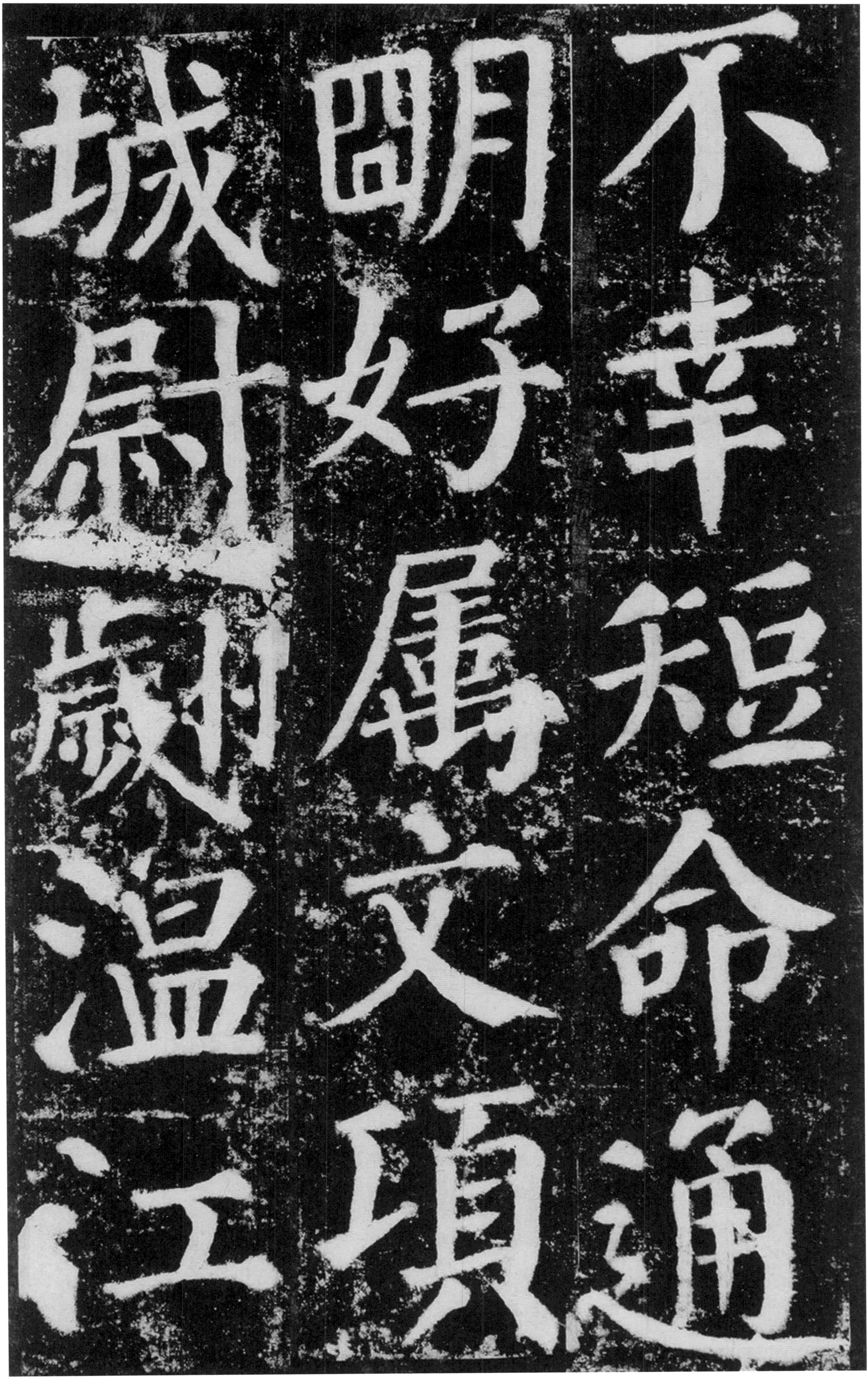

不幸短命。通明，好属文，项城尉。翊，温江

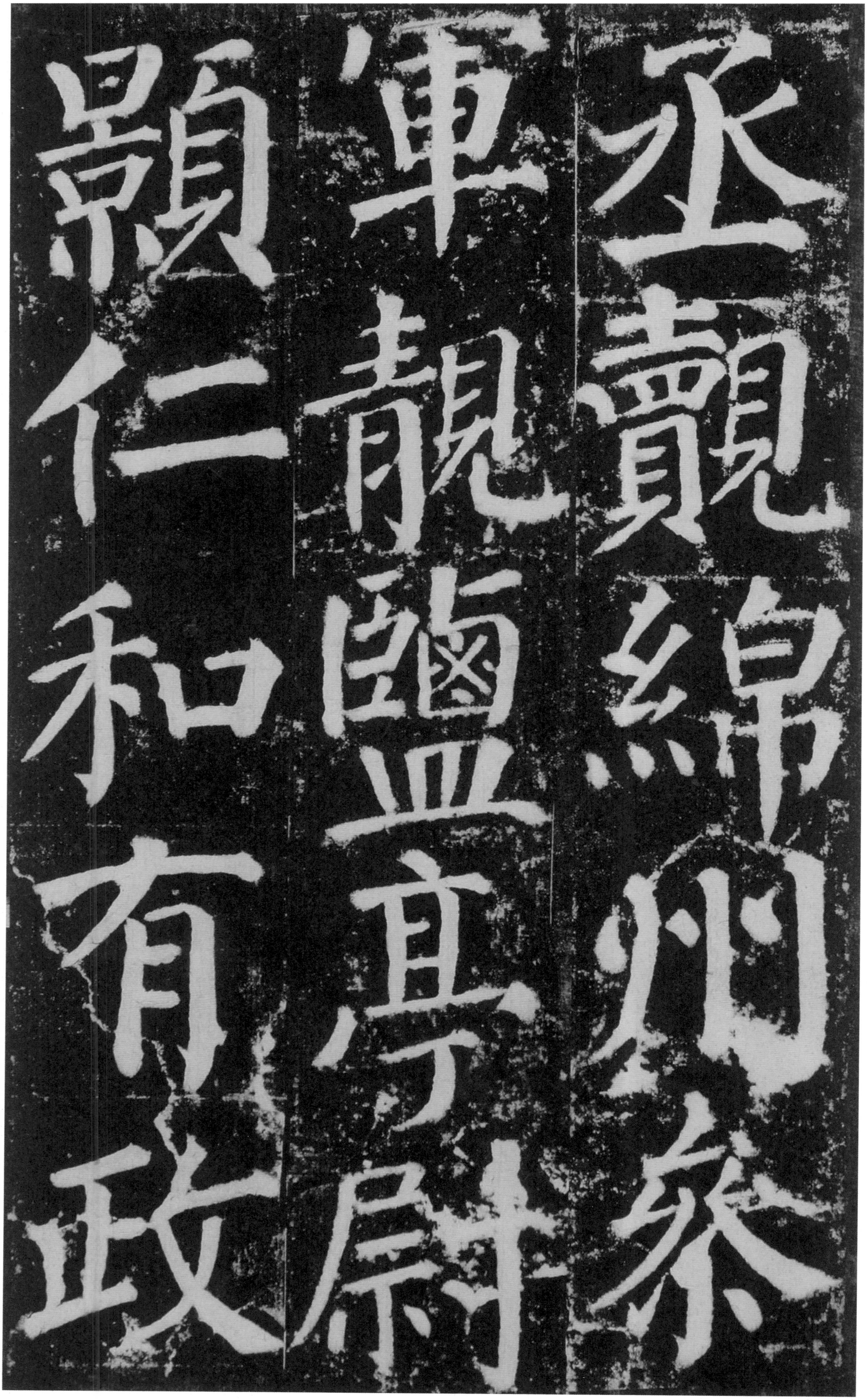

丞。觌，绵州参军。靓，盐亭尉。颢，仁和，有政

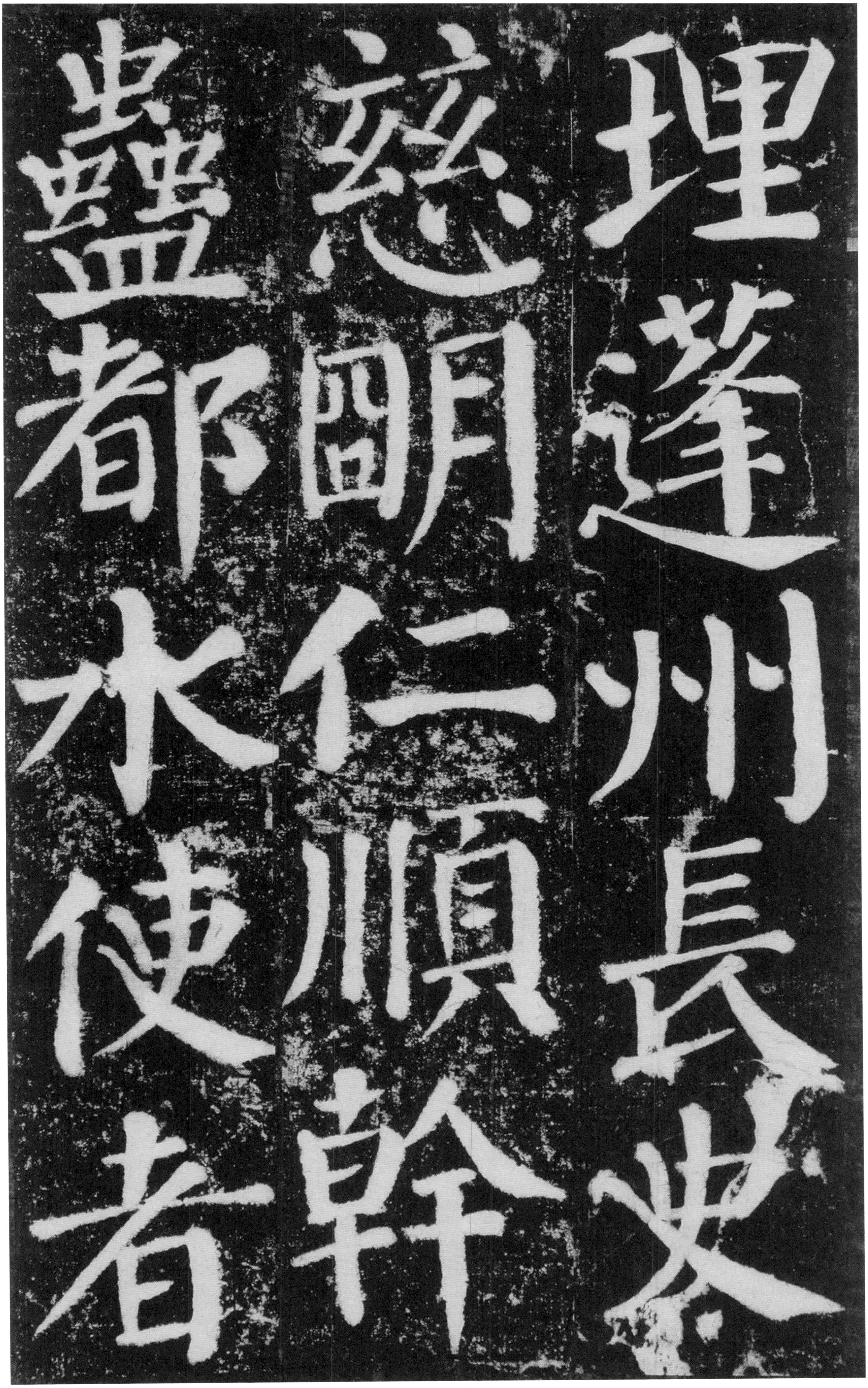

理，蓬州长史。慈明，仁顺干蛊，都水使者。

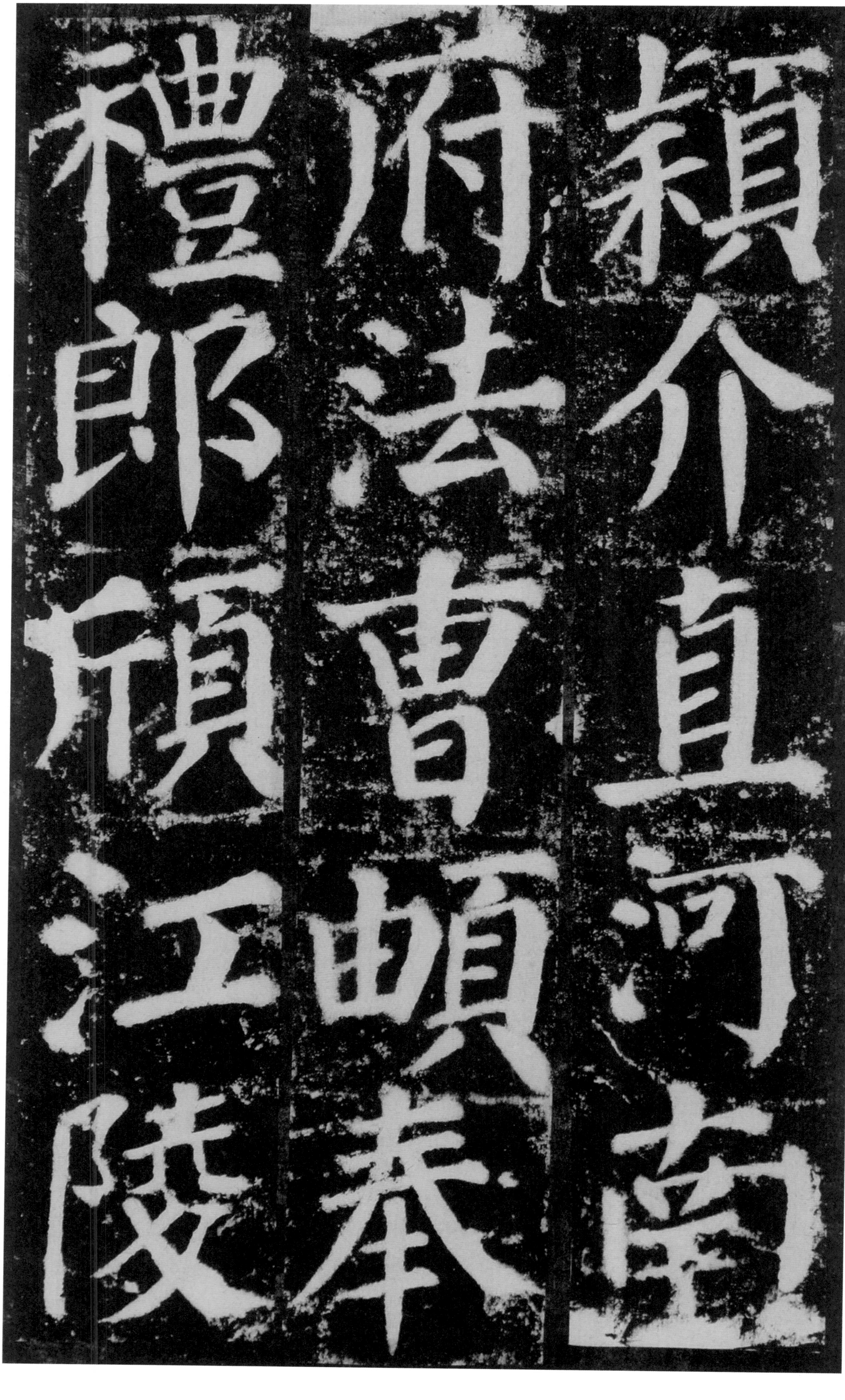

颖，介直，河南府法曹。頵，奉礼郎。颀，江陵

参军。颉，当阳主簿。颂，河中参军。顶，卫尉

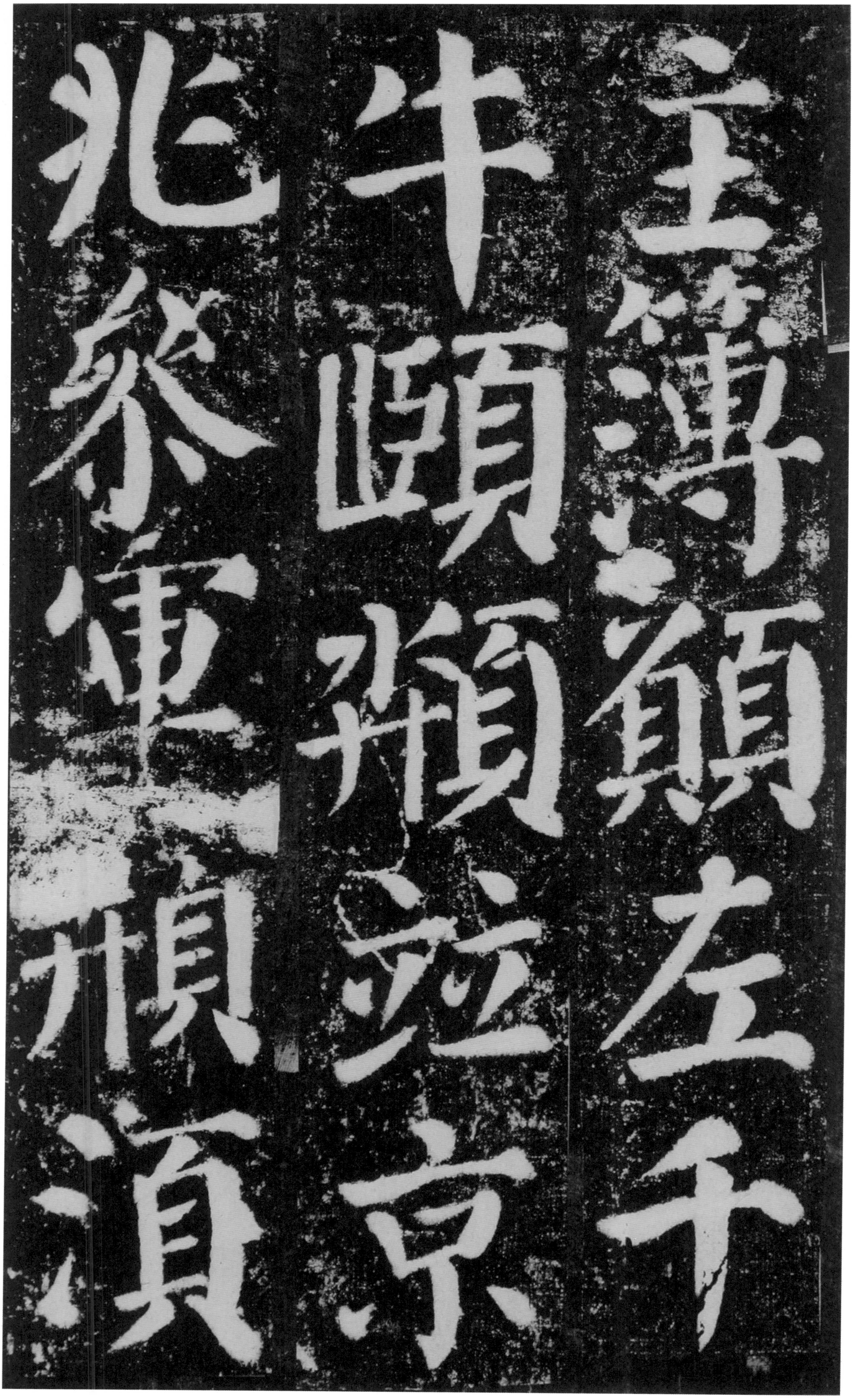

主簿。愿，左千牛。颐、頩，并京兆参军。瀕、须、

頩，并童稚未仕。自黄门、御正至君父叔

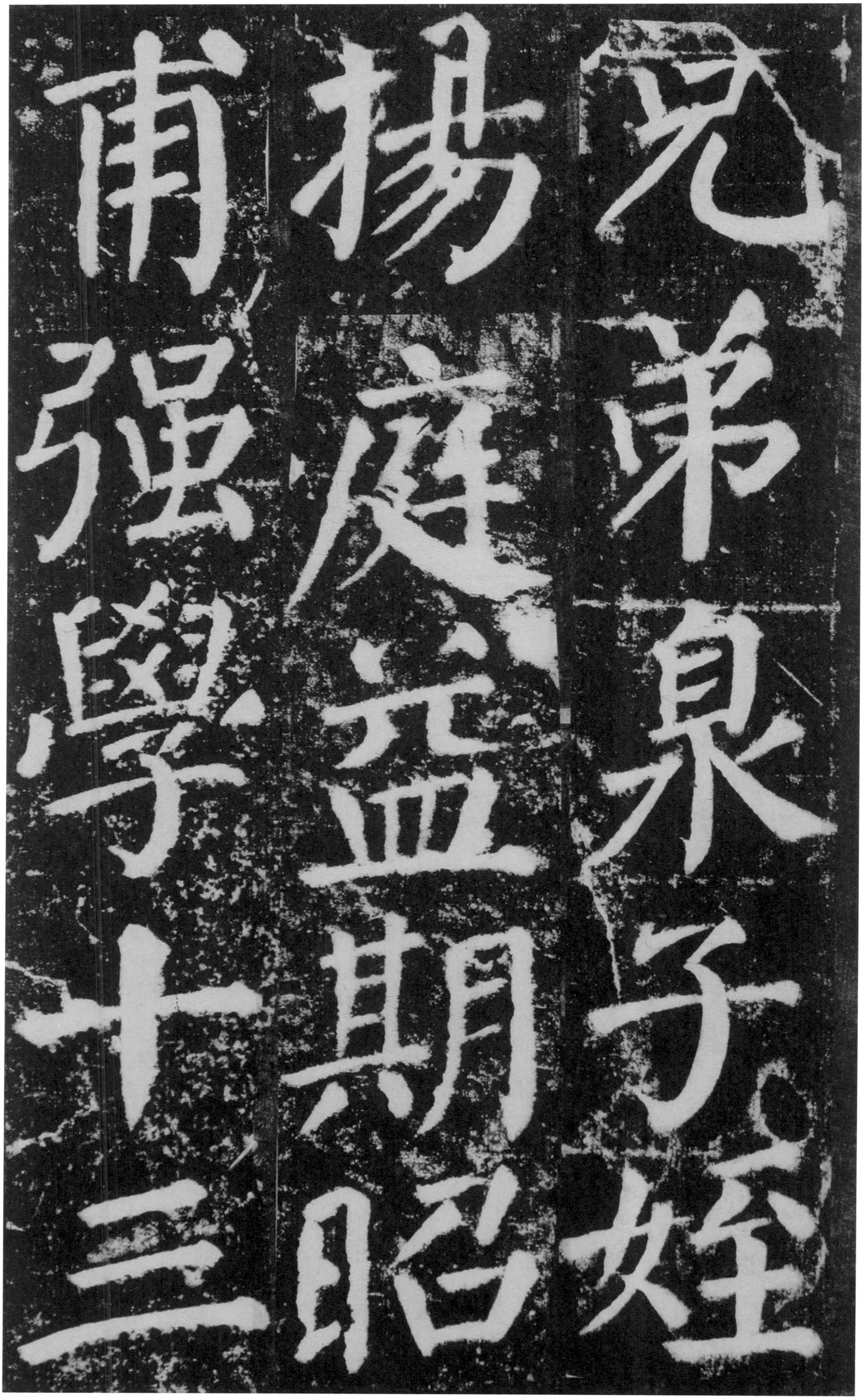

兄弟，臯子侄扬庭、益期、昭甫、强学十三

人，四世为学士、侍读，事见柳芳《续卓绝》、

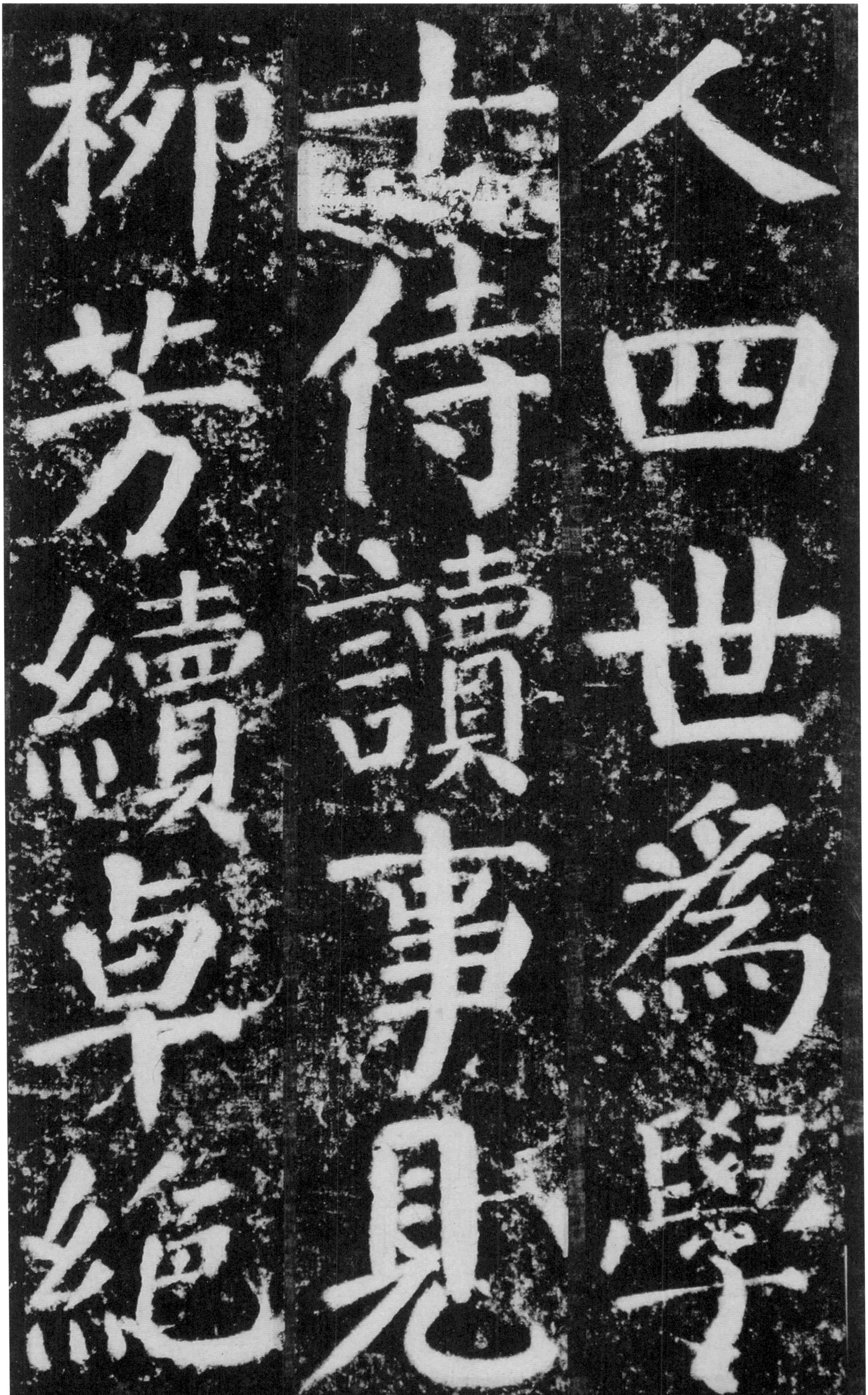

殷寅《著姓略》。小监、少保，以德行、词翰为

天下所推。春卿、杲卿、曜卿、允南而下，泉

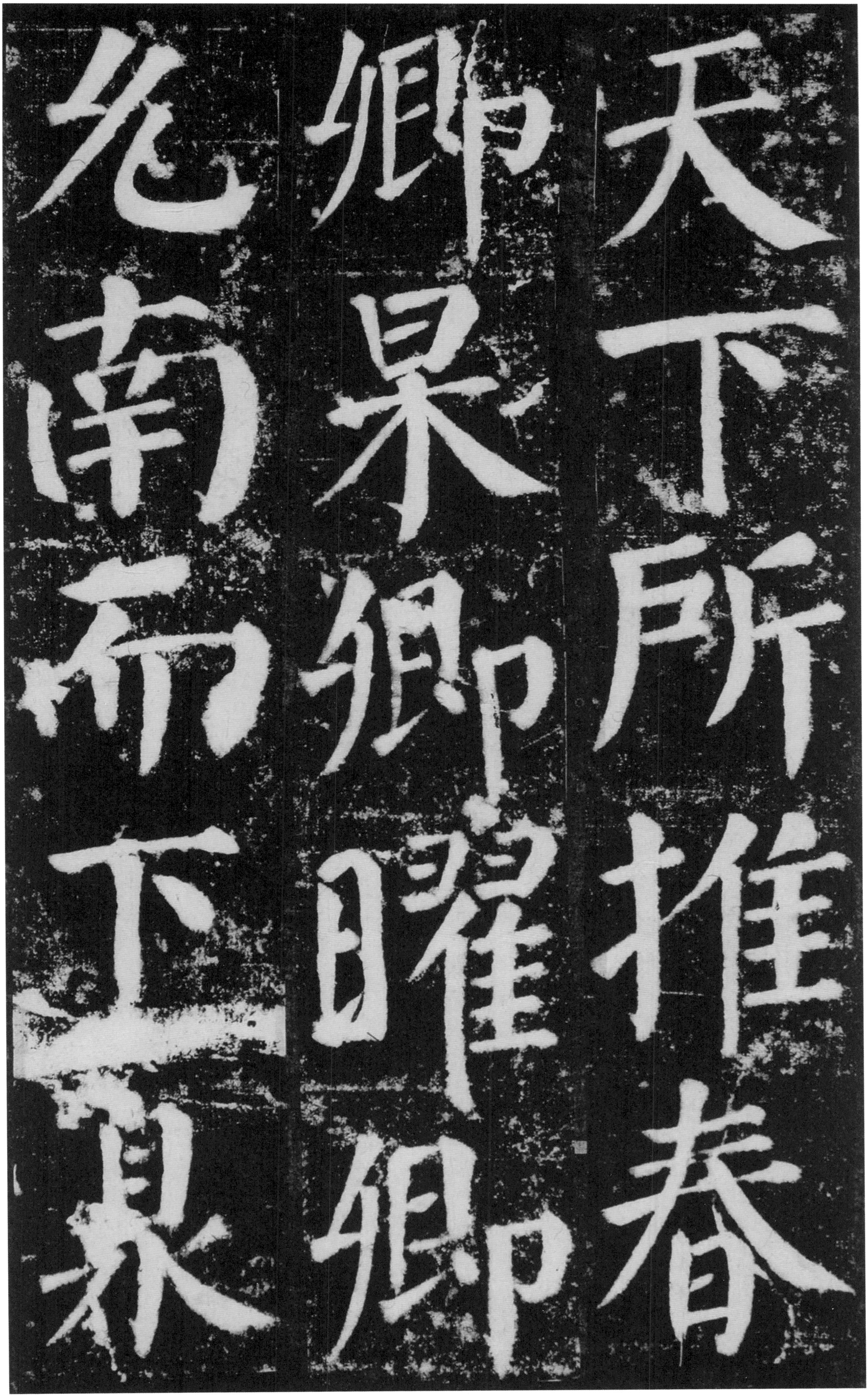

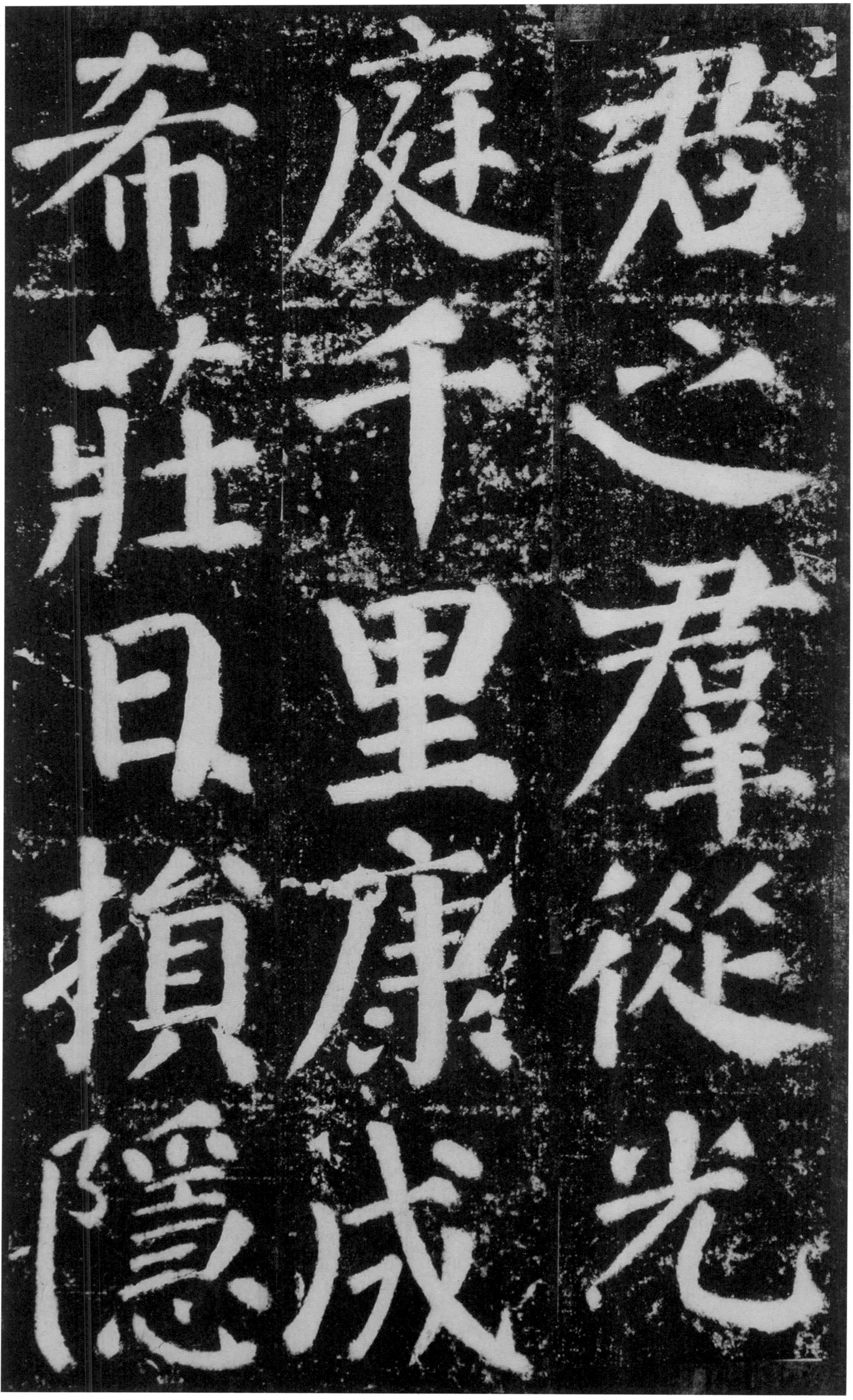

君之群从，光庭、千里、康成、希庄、日损、隐

朝、匡朝、升庠、恭敏、邻几、元淑、温之、舒、说、

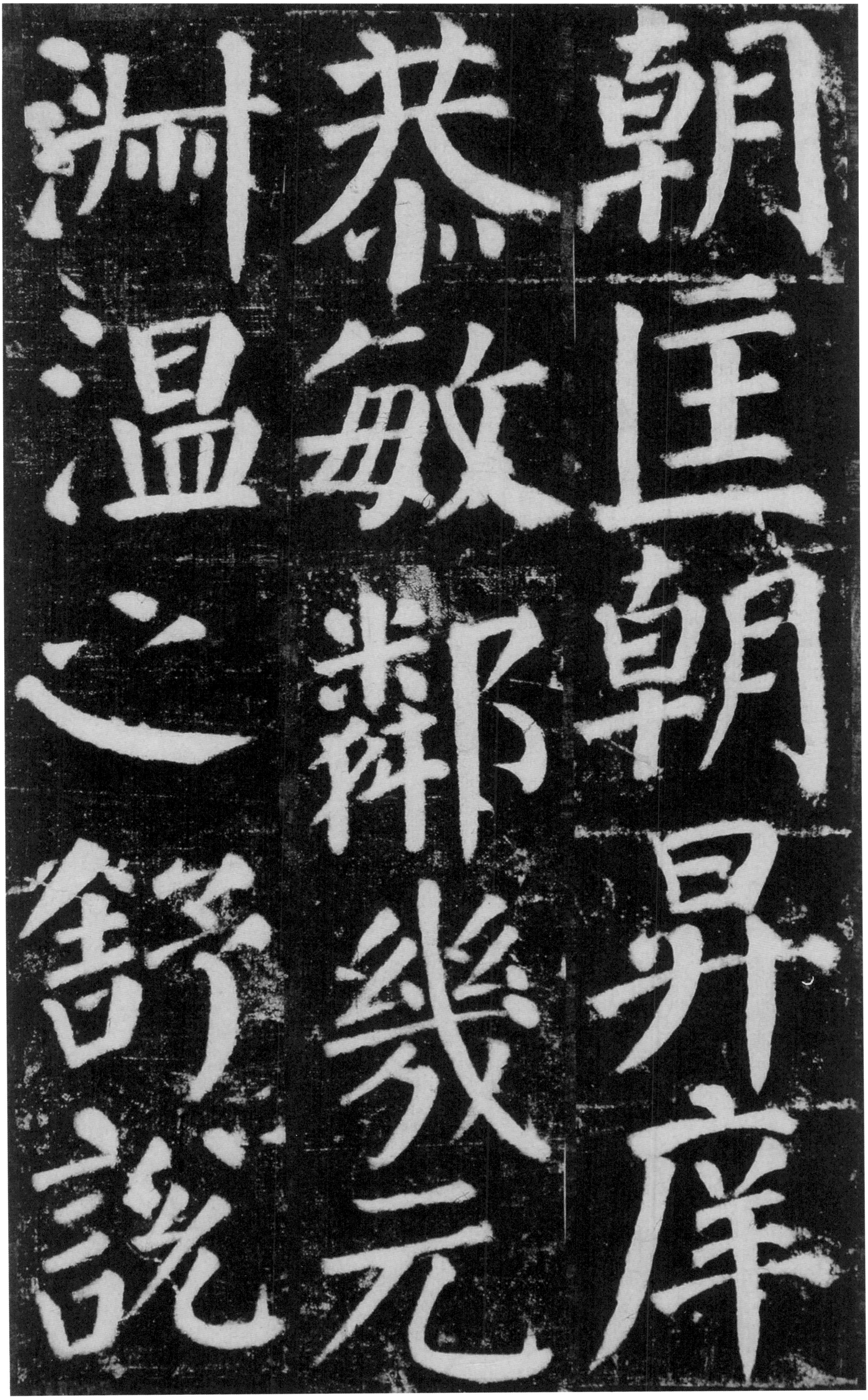

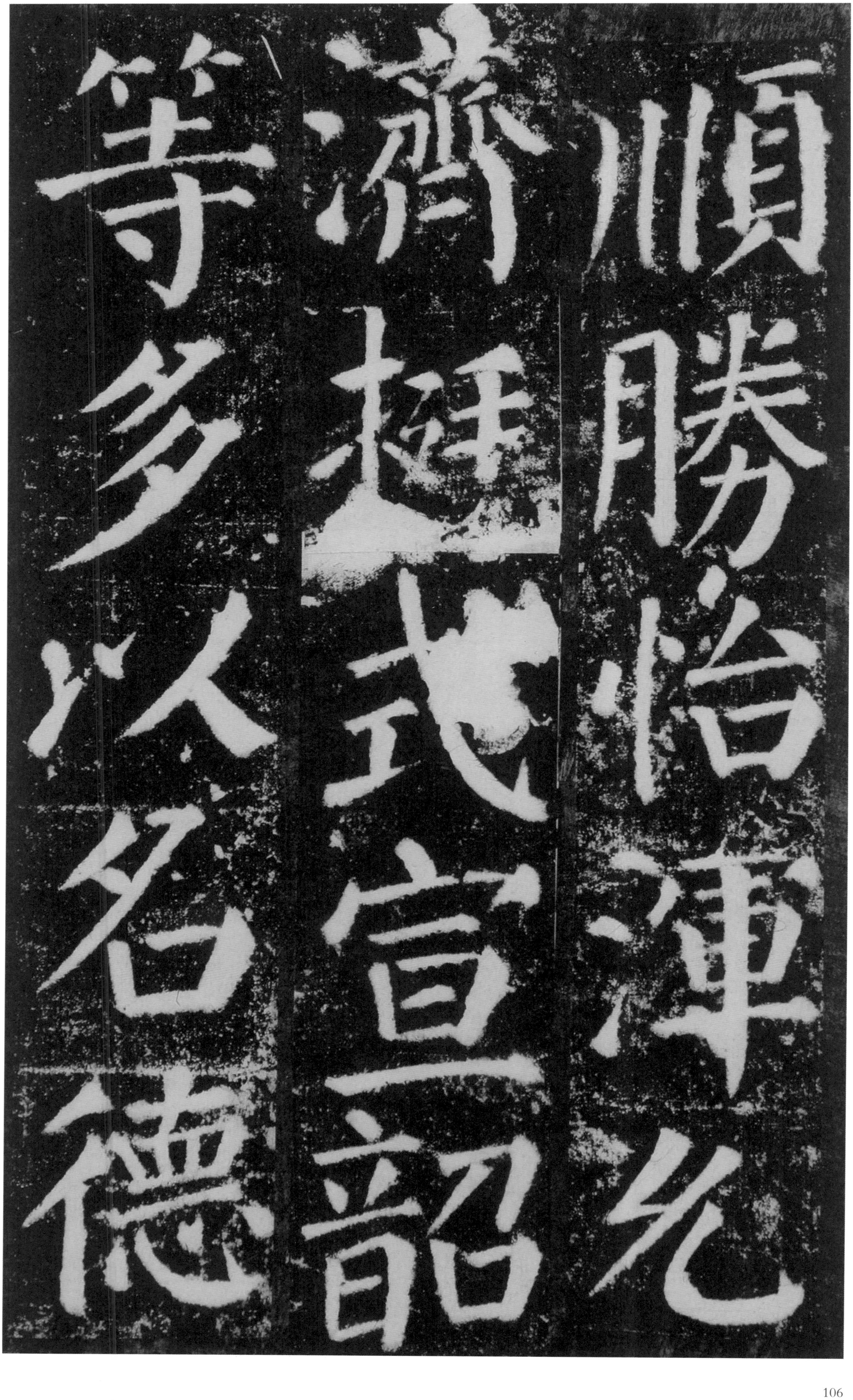

顺、胜、怡、浑、允济、挺、式宣、韶等，多以名德

著述，学业文翰交映儒林，故当代谓之

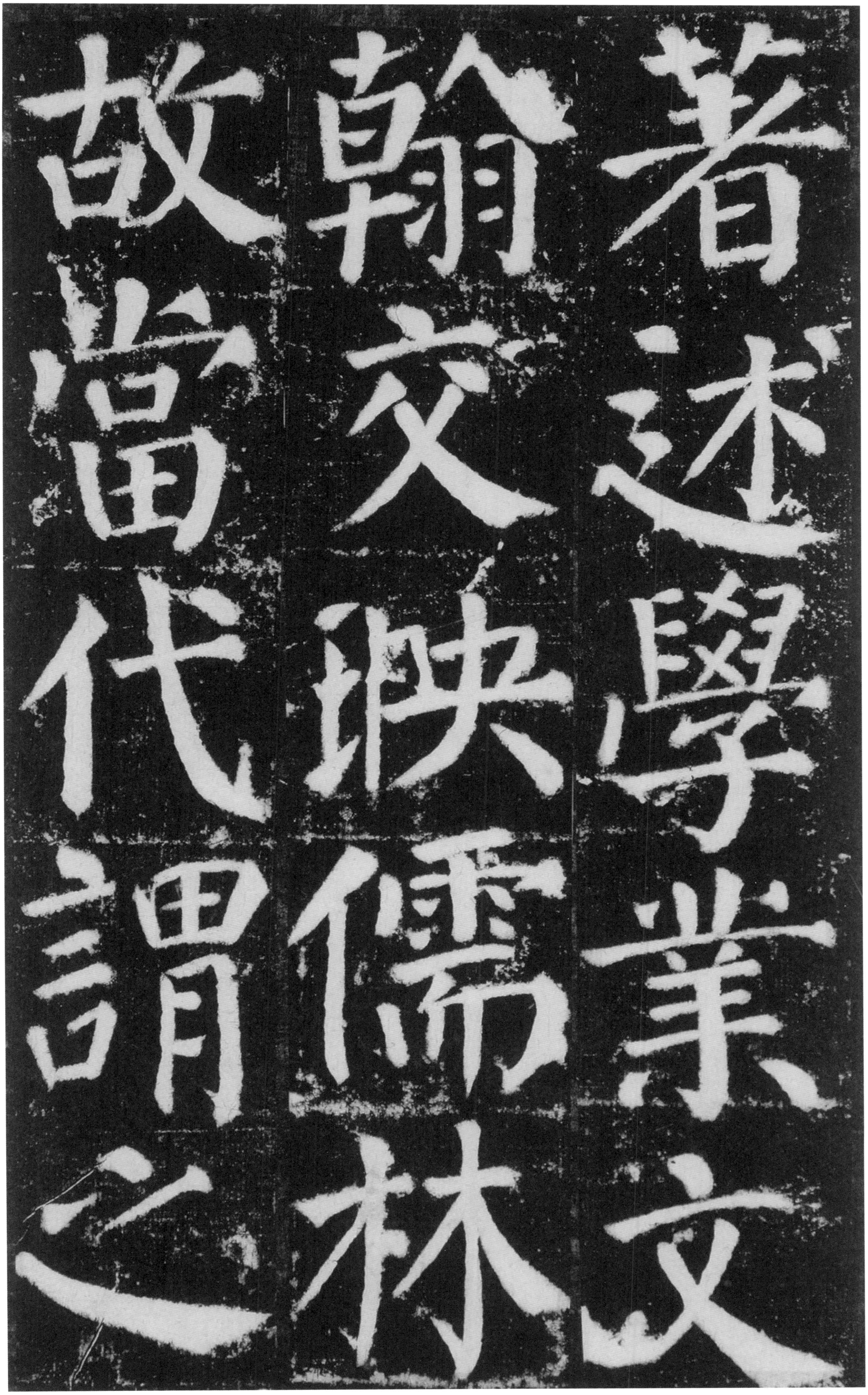
著述學業文
翰交映儒林
故當代謂之

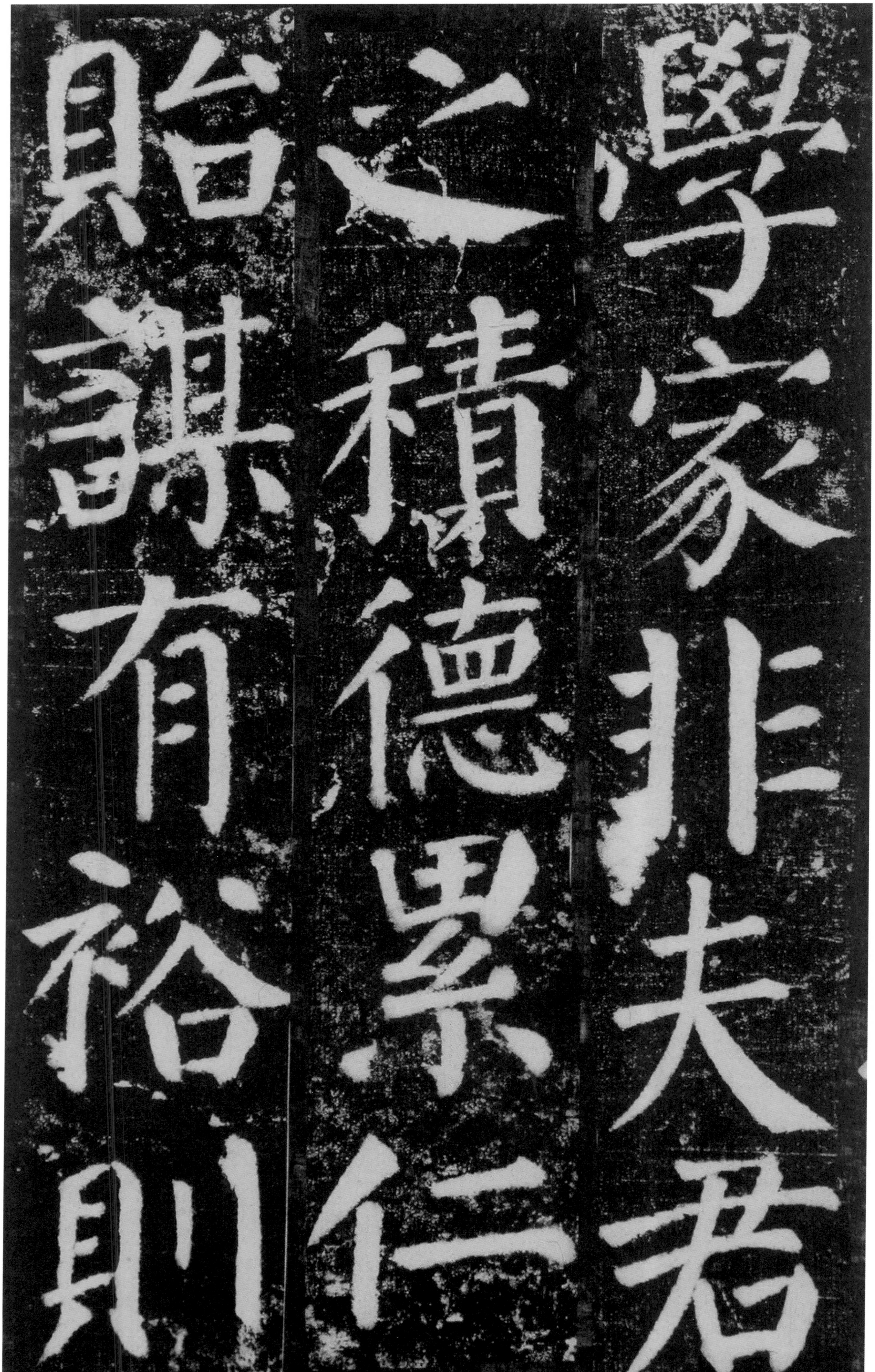
學家非夫君
之積德累仁
貽謀有裕則

学家。非夫君之积德累仁，贻谋有裕，则

何以流光末裔，锡羡盛时？小子真卿，聿

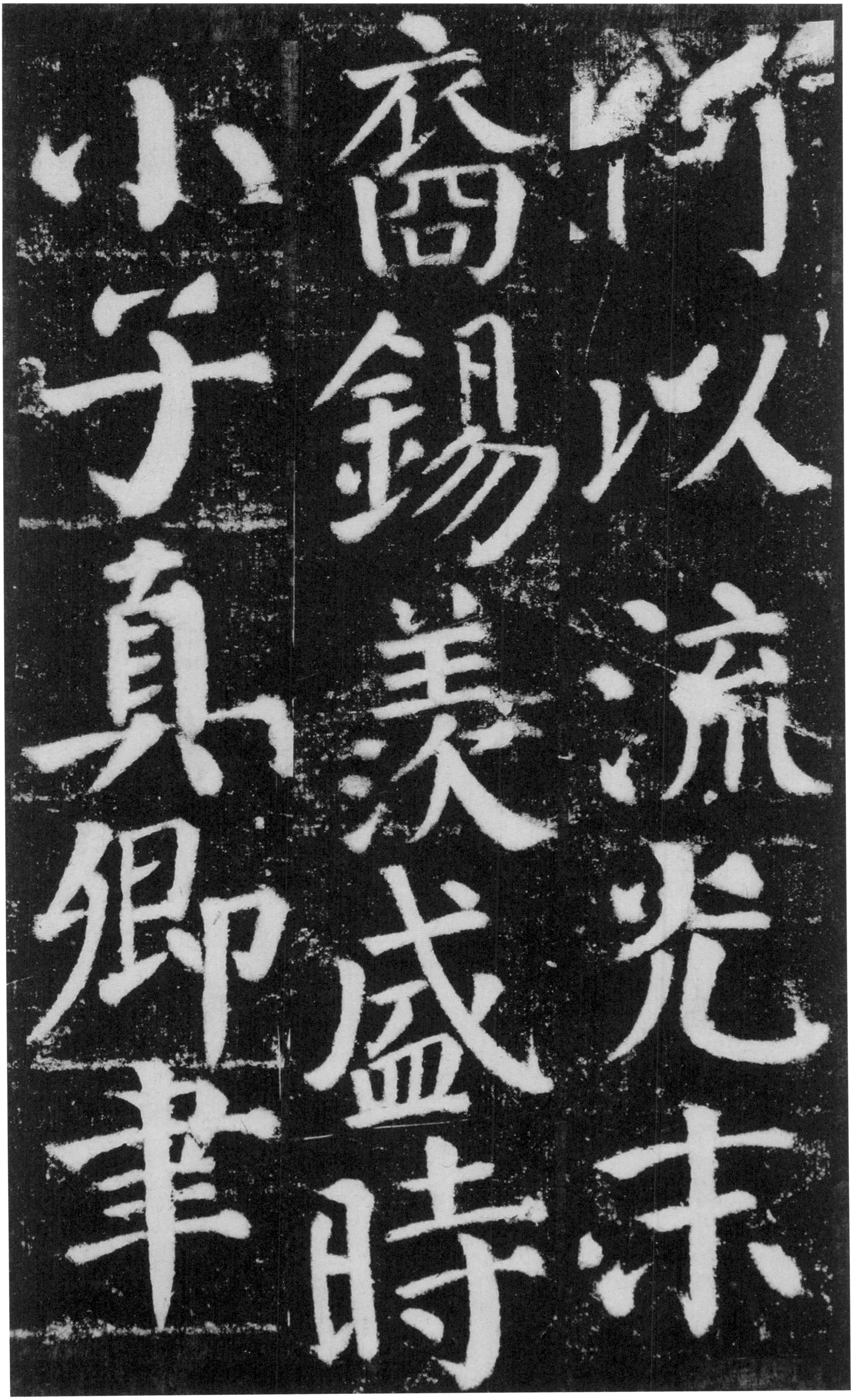

修是忝。婴孩集蓼，不及过庭之训；晚暮

论撰，莫追长老之口。故君之德美，多恨

闕遺。銘曰：……

右唐夔州都督府長史顔勤禮碑曾孫
魯郡公真卿撰并書民國十一年壬
戌十月之初何客星夢庚獲之長安
舊藩廨庫堂後土中石已中斷上下
皆完好無缺而案此碑久無知者僅見
於六一集古錄及題跋意趙宋
時尚盛行於世元明以後逮湮嘗買
嚴尊重人初見而畏之然愈久愈可
愛山谷亦云魯公書奇偉秀拔奄有
魏晉隋唐以來風流氣骨宜爲
後代所寶也客星酷嗜金石得此喜
而不寐拓以見示屬識顛末其旁
以見神物之出初非偶然也客星問楊
宜瀚人名蓋寧庚今適省長署衛隊營
此碑埋沒長安城中垂千年後之
金石家不特多諸寓目豈其及無緣
知之者此碑立於大曆十四年時公
年七十五家廟碑立於建中元年後
閱一歲二石皆在長安而一隱一顯
豈亦有數存乎其間耶歐公嘗云
顔書如忠臣烈士道德君子其端莊
〻長 癸亥立春醴泉宋伯魯跋